solopara**bebés**

Debbie Bliss fotografías de Tim Evan-Cook

soloparabebés

20 modelos para los primeros dos años de tu bebé

OCEANO AMBAR

sumario

introducción

Aunque en mi profesión he diseñado tanto para adultos como para niños, debo admitir lo especial que es para mí crear prendas de punto a mano para bebés. Me encanta cada parte del proceso de creación, desde la etapa inicial, cuando pienso en estilo, formas y tallas, hasta que está terminada y fotografiada en los niños.

Para este libro he creado una colección de modelos de fácil realización, pero que a la vez introduce al principiante en las texturas y los colores, con simples trenzas, estilo Fair Isle o intarsia.

Una de las muchas alegrías al tejer prendas pequeñas es que el trabajo se ve crecer rápidamente y adquirir forma sin la complicación de demasiadas técnicas. Un borde Fair Isle en una chaqueta, unas trenzas sencillas o un canalé son técnicas que un principiante puede afrontar sin gran dificultad en el desarrollo de esta actividad.

Diseñar para niños es muy diferente a hacerlo para adultos. Aunque el estilo también es importante, la comodidad y el confort juegan un papel decisivo. Prefiero las chaquetas a los jerséis por la facilidad a la hora de vestir al bebé. Los jerséis deben tener escotes de tipo solapa o una tira de botones en el hombro, para que pase la cabecita sin dificultad.

Es sumamente importante tener en cuenta el tipo de fibra, al elegir un hilo. Deberá ser suave al contacto con la piel, pero a la vez seguro. Lanas como la angora, la alpaca o el mohair sueltan demasiado pelo, por lo que no son recomendables para bebés. En los patrones no sólo incluyo las tallas sino también las medidas del diseño. De esta forma podrá elegir una talla mayor o menor en función del niño. Si alguna de las medidas indicadas le parecen demasiado grandes, mida alguna de las prendas que ya utilice y se sorprenderá de lo que pueden llegar a dar de sí. Finalmente, disponemos de una maravillosa y sofisticada gama de colores a elegir para sus trabajos, ya que hace tiempo que la oferta dejó de estar limitada a tonos pasteles e hilos brillantes. Como puede comprobar, yo he elegido azules cáscara de huevo, marrones chocolate, rosas y lilas violáceos animados por limas y verdes manzana. Si prefiere una elección más personal no olvide los grises suaves, azules marino y terracotas.

hilos

tiposdehilos

A la hora de elegir un hilo para niños, es imprescindible trabajar con una fibra que sea suave y delicada al contacto con la piel del bebé. Los bebés no se pueden quejar porque un cuello sea áspero o porque los puños les irriten las muñecas, y los mayores están acostumbrados a la libertad de ropa más ligera y a las sudaderas, por lo que pueden resistirse a usar prendas tejidas a mano, alegando que son incomodas o que pican.

Los hilos que he escogido para los patrones de este libro son de cachemira combinada con algodón o lana merino, –que proporcionan suavidad y durabilidad–, así como un algodón puro.

Aunque hoy en día se fabriquen géneros extremamente suaves, lo más importante es que se puedan lavar a máquina. Es aconsejable utilizar siempre el hilo recomendado en el patrón.

Cada uno de estos modelos ha sido concebido para un hilo específico: la Chaqueta con capucha está trabajada con un hilo más suave, pues enmarca la cara del bebé, mientras que el Jersey de bordes tubulares está hecho en algodón natural, que le aporta la firmeza necesaria para mantener la forma –una fibra más blanda o sintética lo deformaría.

Desde el punto de vista estético se puede perder la belleza y el detalle de una prenda de punto si se utiliza un hilo de calidad inferior. No obstante, hay situaciones que obligan a la substitución del hilo –alergia a la lana, por ejemplo– por eso, a continuación presento una guía para ayudar a una elección acertada.

Empecemos por comprar siempre la cantidad de lana recomendada en el patrón: sustituir punto doble por punto doble, por ejemplo, y verificar que la tensión de ambos hilos sea la misma.

Si se substituye una fibra, hay que tener en cuenta el diseño. Una muestra de trenzas trabajada en algodón, si está tejida en lana, encogerá debido a la mayor elasticidad del hilo y, por lo tanto, el género se estrechará y alterará las medidas de la prenda.

Comprobemos siempre el largo del hilo. Hilos que pesan lo mismo pueden tener largos distintos en el ovillo o madeja, y por lo tanto se podrá necesitar más o menos hilo.

Descripción de mis hilos y guía de sus peso y características:

Debbie Bliss Baby Cashmerino:
Un hilo ligero entre 4 cabos y punto doble.
55% de lana merino, 33% microfibra, 12% de cachemira
125 m/50 g ovillo aprox.

Debbie Bliss Cashmerino Double Knitting (punto doble):
55% lana merino, 33% microfibra, 12% cachemira.
110 m/50 g ovillo aprox.

Debbie Bliss Cotton Cashmere:
85% algodón,15% cachemira.
95 m/50 g ovillo aprox.

Debbie Bliss Cotton Double Knitting:
100% algodón.
84 m/50 g ovillo aprox.

comprar hilos

La etiqueta del ovillo contiene toda la información sobre la tensión, tamaño de agujas, peso y longitud. Es importante que también se indique el lote del tinte. Los hilos son teñidos en partidas o lotes y pueden variar notablemente. Es aconsejable comprar todo el hilo o lana necesarios, para evitar que se agote en el proveedor; si cree que va a necesitar más de lo indicado en el patrón, mejor comprar hilo extra.

Si no puede comprar todo el hilo del mismo color, utilice el tono distinto en las zonas donde sea menos perceptible –cuello o bordes, por ejemplo –ya que en la pieza principal se notaria demasiado. Aproveche también para, en el caso de no tenerlas, comprar las agujas indicadas en el patrón.

elcuidadode lasprendas

El cuidado de las prendas de punto es fundamental para que se mantengan en buen estado durante mucho tiempo. Es muy importante un lavado correcto de las prendas de bebé, ya que exigen lavados mas frecuentes. Compruebe las indicaciones de la etiqueta para saber si se pueden lavar a máquina y a qué temperatura. La mayoría de prendas hechas a mano deben secarse sobre una tela absorbente. Extenderlas sobre una superficie lisa es la forma para que recuperen su forma original. Aunque tenga mucha prisa, nunca seque las prendas en una fuente directa de calor, por ejemplo, un radiador.

Si prefiere lavar a mano la ropita del bebé, utilice un detergente indicado para lanas y sumérjalas en agua tibia, sin frotar ni retorcer.
Escurrir apretando para sacar el exceso de agua y enrollar la prenda en una toalla, para que absorba toda la humedad. No levantar la prenda mojada pues el peso del agua deforma el punto. Secar de la forma descrita anteriormente.

puntos
básicos

montarpuntos

nudo corredizo

1

2

El primer paso para tejer es formar una base de puntos, es decir, montarlos. Sin esta hilera no se puede empezar a trabajar.

Hay varias técnicas de montado. Se utiliza una u otra según el tipo de prenda o gusto personal. Los dos ejemplos mostrados son los que considero mas populares.

Para iniciar el montado hay que hacer el primer punto, el nudo corredizo.

1 Enrollar la lana alrededor de los dedos de la mano izquierda para hacer una anilla, tal y como se muestra en la foto. Con la aguja, coger la hebra procedente del ovillo y pasar a través del bucle formado en los dedos.

2 Tirar de los dos extremos del hilo para apretar el nudo en la aguja. Y ya se pueden empezar a montar los puntos.

montado de índice y pulgar

El montado de índice y pulgar es una técnica de montado con una aguja, que forma un borde flexible, muy útil para hilos con menos elasticidad, como el algodón, o para cuando queremos un borde enrollado como en la Chaqueta con bordes tubulares (ver pág. 132).

A diferencia de los métodos con dos agujas, en este caso se trabaja hacia el extremo del hilo, por lo que hay que calcular el largo necesario para el número de puntos que se quieren montar. De lo contrario, puede pasar que no quede hilo suficiente para montar los últimos puntos y habría que empezar de nuevo. Para que esto no ocurra, conviene reservar más hilo del que se vaya a necesitar, y utilizar el sobrante para las costuras.

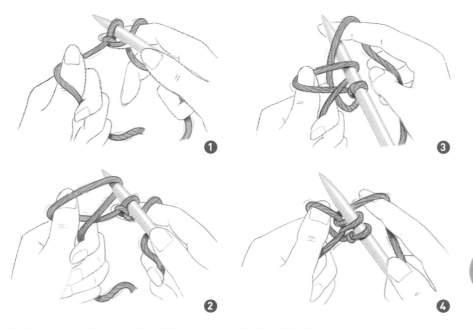

1 Hacer un nudo corredizo dejando un extremo largo de hilo. Con la aguja en la mano derecha, coger el hilo que viene del ovillo en el índice izquierdo y pasar el cabo suelto alrededor del pulgar, sujetándolo en la palma de la mano.

2 Introducir la aguja hacia arriba a través del bucle que sujeta el pulgar.

3 Con el índice derecho, pasar el hilo que viene del ovillo por encima de la punta de la aguja.

4 Sacar la hebra a través del bucle formando un nuevo punto en la aguja. Dejar el bucle deslizar por el pulgar y tirar del extremo suelto para tensar el punto. Repetir estos pasos hasta obtener el número necesario de puntos.

montarpuntos

montado de cordón

Es un método con dos agujas, especialmente indicado para bordes en elástico; es firme, pero tiene mucha elasticidad. Se teje metiendo la aguja por entre los puntos para tirar del hilo y formar nuevos puntos, por lo que no conviene tensar demasiado el trabajo. Este sistema de montado es uno de los más utilizados.

1 Hacer un nudo corredizo (ver pág. anterior) y sujetar la aguja en la mano izquierda, introducir la aguja derecha en el bucle, de izquierda a derecha y de adelante hacia atrás. Pasar el hilo que viene del ovillo sobre la aguja derecha, de abajo arriba como se muestra.

2 Con la aguja derecha sacar la hebra a través del nudo corredizo, para formar un nuevo punto. Pasar el punto a la aguja izquierda.

3 Continuar, introduciendo la aguja derecha entre los dos puntos de la izquierda y pasar el hilo sobre la punta de la aguja derecha.

4 Sacar la hebra para formar un nuevo punto y deslizar el punto para la aguja izquierda, como en el paso anterior. Repetir los últimos dos pasos hasta obtener el número necesario de puntos.

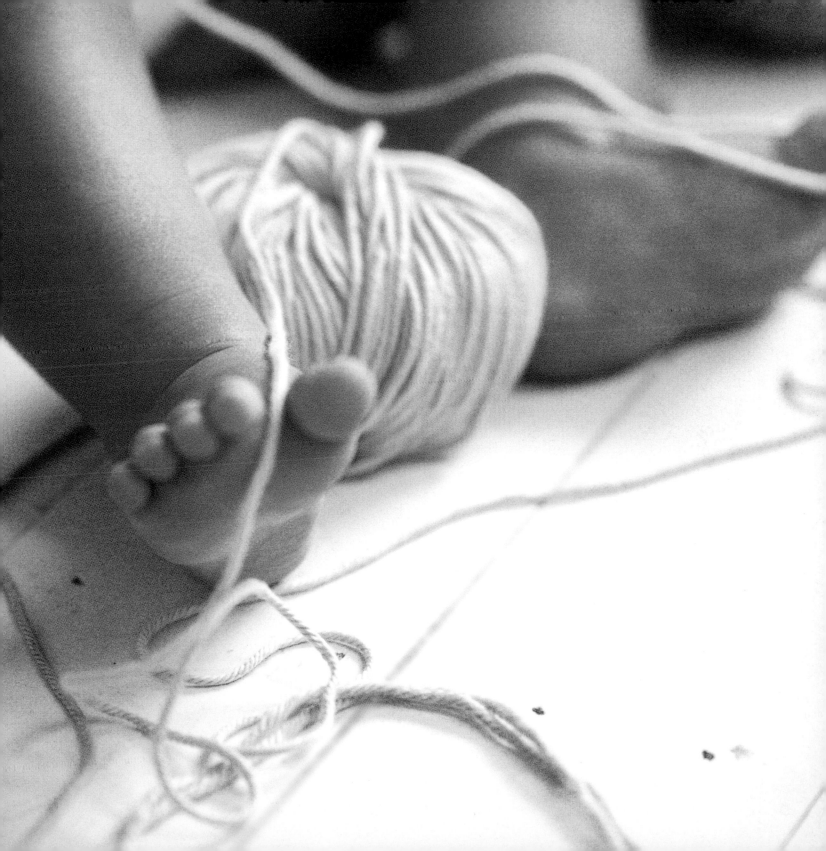

Punto del derecho

El punto del derecho y el punto del revés son la base de casi todos los géneros de punto. Es el más fácil de aprender y el primer punto de todos. Si se tejen todas las vueltas del derecho, obtenemos una estructura reversible, llamada punto de musgo (o bobo), que se reconoce fácilmente por su relieve horizontal.

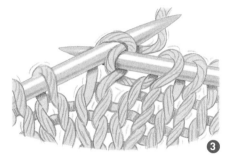

1 Coger la aguja con los puntos montados con la mano izquierda, meter la aguja derecha en el primer punto montado, de izquierda a derecha y de adelante hacia atrás.

2 Con el índice derecho pasar el hilo del ovillo (con el que se teje) por encima de la punta de la aguja derecha.

3 Estirar el hilo con la aguja derecha a través del bucle, para formar un nuevo punto deslizando el punto de la aguja izquierda hacia la aguja derecha. Repetir estos pasos hasta trabajar todos los puntos de la aguja izquierda. Está terminada la primera vuelta.

y punto del revés

Después del punto derecho, seguimos ahora con el punto del revés. Si se tejen todas las vueltas del revés también se obtiene el punto de musgo. Sin embargo alternando vueltas del derecho y del revés, tenemos el punto de media (liso o jersey), sin duda el más utilizado en punto.

1 Manteniendo el hilo delante de la labor, introducir la aguja derecha de derecha a izquierda, por delante del primer punto de la aguja izquierda.

2 Con el índice derecho, pasar el hilo (con el que se teje) sobre la aguja, por encima de la punta de la aguja derecha.

3 Sacar el bucle a través del punto con la aguja derecha, para formar un nuevo punto y al mismo tiempo pasar el punto de la aguja izquierda a la aguja derecha. Repetir estos pasos hasta trabajar todos los puntos. La vuelta del revés está terminada.

aumentos

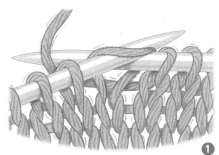

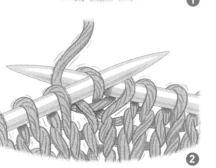

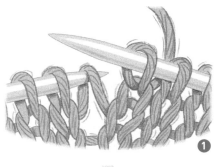

22

Los aumentos se hacen para ensanchar una prenda, criando así más puntos. Se tejen para dar forma a las mangas por ejemplo, o cuando se necesitan más puntos después de un borde elástico. Algunos aumentos son invisibles, mientras que otros se trabajan cerca de los bordes y se utilizan como adorno. La mayoría de los patrones indica el tipo de aumento a realizar.

1 Insertar la aguja derecha por delante del punto siguiente y tejer un punto derecho, dejándolo en la aguja izquierda.

2 Insertar la aguja derecha por detrás del mismo punto y tejer un punto derecho. Sacar el punto base de la aguja. Acabamos de formar un punto extra en la aguja derecha.

1 Insertar la aguja izquierda de delante hacia atrás bajo la hebra horizontal que está entre el punto trabajado en la aguja derecha y el primer punto de la aguja izquierda.

2 Tejer cogiendo el hilo por detrás del bucle de la aguja izquierda. La torsión del punto impide que se forme un agujero. Sacar la hebra de la aguja izquierda. Así se forma un nuevo punto en la aguja derecha.

hilo sobre aguja

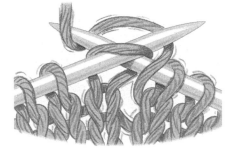

Hilo sobre aguja entre puntos del derecho.

Llevar el hilo hacia delante entre las dos agujas, de atrás hacia delante del tejido. Con el hijo sobre la aguja tejer al derecho el punto siguiente.

Hilo sobre aguja entre puntos del revés

Llevar el hilo hacia atrás pasándolo sobre la aguja derecha y después traerlo hacia delante por entre las agujas. Tejer al revés el punto siguiente.

Hilo sobre aguja entre un punto revés y uno derecho

Llevar el hilo de delante hacia atrás por encima de la aguja derecha. Tejer al derecho el punto siguiente.

Hilo sobre aguja entre un punto derecho y uno revés

Llevar el hilo hacia delante entre las agujas de atrás hacia delante del tejido, de nuevo hacia atrás sobre la aguja y hacia delante por entre las agujas. Tejer del revés el punto siguiente.

cerrarpuntos

Cerrar p. del derecho

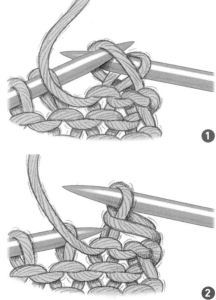

Cerrar p. del revés

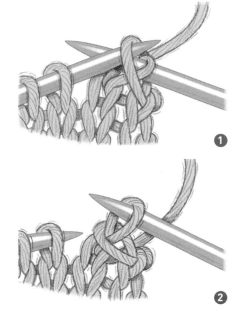

Es necesario cerrar los puntos al terminar la labor; esta terminación evita que los puntos se deshagan. También se utiliza para disminuir mas de un punto, dar forma a sisas, tiras del escote y ojales. Es importante que la terminación quede firme pero con alguna elasticidad, especialmente alrededor del cuello, para facilitar el paso de la cabeza. A menos que se indique lo contrario, cerrar siempre los puntos siguiendo el patrón.

1 Tejer dos puntos del derecho. Introducir la aguja izquierda a través del primer punto de la aguja derecha, levantar este punto sobre el segundo y sacarlo de la aguja derecha.

2 El punto se queda en la aguja derecha. Tejer el punto siguiente. Repetir el primer paso hasta cerrar el número de puntos deseado. Tirar del hilo a través del último bucle para tensar.

1 Tejer dos puntos del revés. Insertar la aguja izquierda por detrás del primer punto de la aguja derecha, levantar el punto sobre el segundo y sacarlo de la aguja derecha.

2 El punto queda en la aguja derecha. Tejer un punto al revés. Repetir el primer paso hasta cerrar el número de puntos deseado. Tirar del hilo a través del último bucle para tensar.

disminuciones

dos p. juntos al derecho

Tejer dos puntos al derecho (d2jun).
En una vuelta del derecho, insertar la aguja derecha de izquierda a derecha a través de los dos puntos de la aguja izquierda y tejerlos juntos del derecho. Hemos disminuido un punto.

Las disminuciones sirven para estrechar la prenda, eliminando puntos de la aguja. Se utilizan para hacer un cuello abierto o para dar forma a una manga. Al igual que los aumentos, pueden ser utilizadas como adorno, normalmente en la orilla del escote. Se pueden trabajar aumentos y disminuciones juntos para crear patrones de encaje.

dos p. juntos al revés

Tejer dos puntos juntos al revés (r2jun).
En una vuelta del revés introducir la aguja derecha de izquierda a derecha a través de los puntos de la aguja izquierda. Tejerlos juntos del revés. Hemos disminuido un punto.

Dis. con punto deslizado

Deslizar un punto, tejer 1 del derecho, pasar el punto deslizado por encima del tejido (ppde).
1 Deslizar un punto de la aguja izquierda hacia la aguja derecha, sin tejer. Tejer el punto siguiente del derecho. Introducir la aguja izquierda en el punto deslizado, como se muestra.

2 Con la aguja izquierda, pasar el punto deslizado por encima del que acaba de tejer y soltarlo de la aguja.

patrones

Para quién no está habituado a leer patrones, le podrá parecer chino. Sin embargo, a medida que se vaya familiarizando con la terminología, verá que es lógica y coherente, y que pronto le resultará fácil de interpretar. Si surge una duda a mitad de la labor y la explicación del patrón le resulta demasiado confusa, no se desanime. De cualquier forma, es aconsejable elegir diseños acordes con sus aptitudes para evitar decepciones; consulte con su proveedor.

Las tallas

Las cifras entre paréntesis indican las tallas más grandes.

Cuando hay solo una cifra significa que los números se aplican a todas las tallas.

Los corchetes tienen instrucciones que se repiten el número de veces indicado a continuación de los corchetes. Si aparece el 0, no se trabajan ni puntos ni vueltas para esa talla. Siempre que siga las instrucciones de un patrón, utilice los puntos y vueltas correspondientes a la talla elegida. Se aconseja hacer una fotocopia del patrón o marcar las indicaciones con un rotulador, para evitar equivocaciones. Antes de empezar, compruebe la talla y las medidas. Puede hacer una prenda más grande o más pequeña, dependiendo de sus necesidades. Las cantidades de hilo indicadas en las explicaciones son aproximadas y tienen como referencia las utilizadas en el modelo original. Por ejemplo, una persona puede haber usado casi toda la lana del último ovillo, mientras que otra, con una tensión de punto distinta, puede tener que empezar un nuevo ovillo para terminar el trabajo. Una pequeña variación en la tensión del punto determina si se han de utilizar más o menos ovillos que los indicados en el patrón.

tensión y muestra

En cualquier explicación de punto encontrará la muestra de orientación, es decir, el número de puntos y vueltas tejidos en 10 cm, con la lana, agujas y punto especificados.
Es muy importante hacer una muestra antes de empezar con una nueva labor. Una pequeña variación en la tensión es suficiente para alterar las proporciones y el aspecto de una prenda. Una tensión demasiado suelta origina un tejido irregular y flojo, que puede perder la forma después de lavado, mientras que si es muy apretada, el resultado es una textura prieta y sin elasticidad.

Hacer una muestra

Utilizar las mismas agujas, hilo y punto, indicados en las explicaciones del patrón. Tejer un cuadrado de unos 13 cm de lado. Estirarlo sobre una

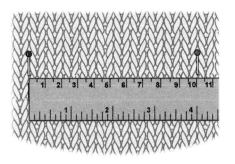

superficie plana sin tirar de él. Para comprobar la tensión, medir 10 cm con la ayuda de una cinta métrica y marcarlos verticalmente con dos alfileres. Contar el número de puntos entre los alfileres. Para comprobar la tensión de las vueltas, proceder de la misma forma, pero en este caso contar el número de vueltas. Si el número de puntos y vueltas es mayor que el indicado en las explicaciones, la tensión es demasiado fuerte y deberá hacer otra muestra con unas agujas más gruesas. Si por lo contrario hay menos puntos y vueltas, la tensión es suelta y deberá trabajar con unas agujas más finas. La tensión del punto es fundamental para conseguir un resultado perfecto. Mientras que el número de puntos viene indicado en el patrón, el largo total estará normalmente en cm, por lo que puede variar el número de vueltas.

abreviaturas

Las abreviaturas generales las encontrará al principio de cualquier patrón mientras que las específicas se encuentran al principio de las explicaciones. Indicamos a continuación las que hemos empleado en este libro.

Abreviaturas generales

alt = alternar
aum = aumentar
C1 = crear 1
cont = continuar
dis = disminuir
d = tejer punto derecho
d2jun = tejer dos puntos al derecho
ddd = d delante y detrás del sig. punto.
desld2junde = des 1, d2jun, pasar el deslizado por encima del punto.
des = deslizar punto
emp = empezar
ha = hilo hacia atrás
hd = hilo hacia delante
hsa = hilo sobre aguja
jun = juntos
mues = muestra
mpde = montar el punto deslizado
ppde = pasar el p deslizado por encima del tejido

p = punto
p media = punto de media
prbu = por el revés del bucle-(teja detrás del punto)
r = tejer punto revés
rep = repetir
rest = restantes
sig = siguiente

Abreviaturas especiales

a4a = desliza los dos puntos siguientes a la aguja auxiliar por delante de la labor, d2, luego d2 desde la aguja auxiliar.
a4b = desliza 2 puntos en la aguja auxiliar y mantenlos detrás del trabajo, d2, luego d2 desde la aguja auxiliar.
a8b = desliza los 8 puntos siguientes a la aguja auxiliar por detrás de la labor, d4, luego d4 desde la aguja auxiliar.
rdd = r delante y detrás del siguiente punto.
2pas = levantar 2 veces sin tejer.
rec1r = recoger 1 p y tejer del revés detrás de la lazada entre el p recién hecho y el siguiente.
past = deslizar 2 puntos en la aguja auxiliar y mantenerlos detrás del trabajo, d2, luego d2 desde la aguja auxiliar.

puntos

Cuando ya tenga práctica con el punto derecho y el punto revés, puede utilizarlos en infinitas combinaciones. Cada punto tiene sus características y cada persona tiene su favorito. El mío es el punto de arroz, que utilizo en la mayoría de mis diseños.

Punto bobo

También llamado de musgo o de Santa Clara. Se tejen todas las vueltas del derecho, la labor queda firme y su estructura reversible. Es muy útil para prendas planas y sin bordes, pues no se enrolla. Con este punto, los principiantes podrán crear prendas sencillas sin ribetes o bordes.

Montar puntos.
Tejer en todas las vueltas, todos los puntos al derecho.

Punto de media

Es el punto mas utilizado. Se realiza tricotando alternadamente vueltas del derecho y del revés. La vuelta del revés es considerada el revés de la labor, y cualquiera de los lados puede ser el revés, dependiendo del efecto deseado. Cuando se usa lado del revés como lado derecho, se le llama el reverso del punto de media.

Montar puntos.
Vuelta 1 (del derecho) al derecho
Vuelta 2 (del revés) al revés

Repetir las dos vueltas.

Elástico 1 x 1

El elástico o canalé se hace alternando columnas verticales de punto derecho y punto revés. El cambio de un punto al otro es efectuado en la misma vuelta. Puede ser usado como un punto en toda la pieza, pero su elasticidad lo hace perfecto para los bordes: tiras del escote, bajos y puños.

Montar un número par de puntos.
Vuelta 1 *D1, r1, rep de * hasta el final.
Repetir siempre esta vuelta.

Elástico 2 x 2

Montar un número de puntos múltiplo de 4, más 2.
Vuelta 1 D2,*r2, d2, repetir de * hasta el final.
Vuelta 2 R2,*d2, r2, repetir de * hasta el final.
Repetir siempre estas dos vueltas.

Punto de arroz

Es uno de los puntos básicos más atractivos. Es igual en ambos lados, se consigue tejiendo alternadamente puntos del revés y del derecho en la vertical y en la horizontal. Se puede usar como punto base o también como una alternativa al elástico o como motivo de adorno.

Montar un número de puntos impar.
Vuelta 1 D1,*r1, d1, repetir de * hasta el final.
Repetir siempre esta vuelta.

punto de
arroz

punto de
media

punto bobo
o de musgo

elástico
2 x 2

elástico
1 x 1

trenzas

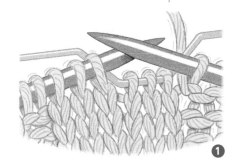

La base de las trenzas (también llamadas ochos o cuerdas) es una técnica simple en que los puntos se cruzan sobre un grupo de puntos, de la misma vuelta. Se utiliza una aguja especial para trenzas (una aguja recta o curvada de doble punta) que sujeta los puntos por delante o detrás de la labor, mientras se trabaja el mismo número de puntos el la aguja izquierda. Las trenzas simples forman una cuerda torcida vertical en punto de media de cuatro a seis puntos de anchura, sobre una base del revés.

1 Deslizar los tres primeros puntos de la aguja izquierda, para una aguja para trenzas. Mantener la aguja auxiliar detrás del trabajo y tejer al derecho los tres puntos siguientes de la aguja izquierda. Mantener el hilo tenso para evitar un agujero.

2 Tejer al derecho los tres puntos de la aguja auxiliar, o si se prefiere, deslizarlos para la aguja principal y tejerlos.

1 Deslizar los tres primeros puntos de la aguja izquierda, para una aguja para trenzas. Mantener la aguja auxiliar delante del trabajo y tejer al derecho los tres puntos siguientes de la aguja izquierda. Mantener el hilo tenso para evitar un agujero.

2 Tejer al derecho los tres puntos de la aguja auxiliar, o si se prefiere, deslizarlos para la aguja principal y tejerlos.

intarsia

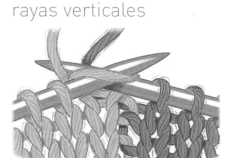

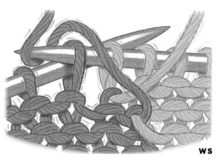

32

La intarsia es usada para añadir color a formas lisas y sencillas o para tejer dibujos. La lana que no se usa se ha de llevar por detrás de la labor, hasta que la utilice. Con esta técnica usaremos pequeñas madejas de cada color que se van alternando, pasándolas con firmeza para evitar la formación de agujeros.

Cambiar colores en bloques o rayas verticales
En la vuelta del derecho, deje el primer hilo, recoja el nuevo por debajo de él como se muestra y siga con el nuevo color. Para cambiar el color en líneas verticales, cruce los hilos juntos en las vueltas del derecho y del revés.

Si los dos colores forman una línea diagonal
En la vuelta del derecho, deje el primer hilo, recoja el nuevo por debajo de él como se muestra y siga con el nuevo color. Cruce los dos hilos en las vueltas del derecho.

En diagonal izquierda

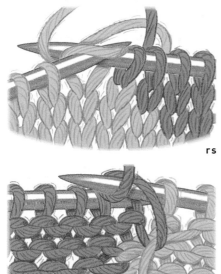

rs

ws

Si los dos colores forman una línea diagonal

En la vuelta del revés, deje el primer hilo, recoja el nuevo por debajo de él como se muestra y siga con el nuevo color. Cruce los dos hilos en las vueltas del revés.

tejer a partir de un esquema

■ M verde ■ A azul claro ■ B azul añil ■ C lima ■ D burdeos   E crudo
azulado

21
19
17
15
13
11
9
7
5
3
1

└─────── **12 p pat rep** ───────┘

Normalmente, se trabajan los colores a partir de un esquema. Cada cuadrado representa un punto y cada línea una vuelta. A veces están coloreados para facilitar el trabajo. Las instrucciones contienen una clave y un listado de colores.

A menos que se indique lo contrario, la primera vuelta del esquema se trabaja de derecha a izquierda y corresponde al punto jersey de la labor. La siguiente vuelta corresponde al revés de la labor y se teje de izquierda a derecha. Si el dibujo a color es un diseño muy repetitivo, como en el caso del Fair Isle, en el esquema se indica la cantidad de puntos a repetir.

Repetir las veces indicadas. Los puntos de los bordes se trabajan al principio y al final de las vueltas e indican el comienzo y el final de la labor. La mayoría de los esquemas se tejen en punto de media (o punto Jersey).

Jacquard con hebras pasadas

en una vuelta del derecho   en una vuelta del revés

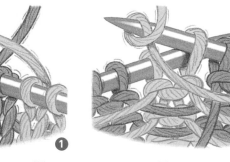

Utilizar esta técnica para trabajar dos colores por vuelta, en un pequeño grupo de puntos. La lana que no se usa se lleva por detrás de la labor y se va cogiendo a medida que se necesita. Esto crea unas hebras o bastas que quedan alineadas horizontalmente por el revés. Procure evitar que queden demasiado tirantes para no fruncir el trabajo. Pasar las hebras arriba y abajo entre ellas evita enmarañados.

1 Para cambiar colores en una vuelta del derecho, soltar el hilo. Coger el nuevo por encima del primero y tejer al derecho con el nuevo color.

2 Para volver al primer color, soltar el hilo. Coger el primero por debajo del segundo y tejer al derecho el con el nuevo color.

1 Para cambiar colores en una vuelta del revés, soltar el hilo. Coger el nuevo por encima del primero y tejer al revés con el nuevo color.

2 Para volver al primer color, soltar el hilo. Coger el primero por debajo del segundo y tejer al revés con el nuevo color.

& Jacquard con hebras tejidas

en una vuelta del derecho   en una vuelta del revés

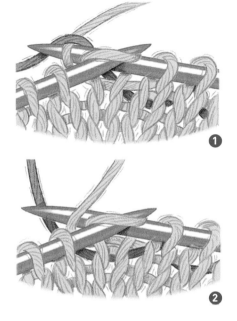

Cuando hay más de cuatro puntos de cada color, la distancia para pasar la hebra es muy larga y el tejido quedaría demasiado tirante. El revés sería muy incómodo al vestir, en especial el interior de las mangas. Entretejer el hilo que no se usa, antes de cambiar el color, disminuye el largo de las bastas. Dependiendo del patrón puede combinar esta técnica con la de pasar hebras.

1 Para entretejer una hebra en una vuelta del derecho, insertar la aguja en el punto siguiente y coger el nuevo color en la punta de la aguja derecha. Tejer un punto al derecho, pasar la hebra por debajo del hilo que so se usa, teniendo cuidado para no coger este hilo al tejer.

2 Tejer al derecho el punto siguiente y llevar el nuevo color sobre la aguja derecha. Continuar llevando el hilo colgado alternativamente arriba y debajo de forma a que quede entretejido.

1 Para entretejer una hebra en una vuelta del derecho, insertar la aguja en el punto siguiente y coger el nuevo color en la punta de la aguja derecha. Tejer un punto al revés, pasar la hebra por debajo del hilo que so se usa, teniendo cuidado para no coger este hilo al tejer.

2 Tejer al revés el punto siguiente y llevar el nuevo color sobre la aguja derecha. Continuar llevando el hilo colgado alternativamente arriba y debajo de forma a que quede entretejido.

costuras

Después de haber tejido todas las piezas de una prenda, llega una de las etapas más importantes. La forma de coser las piezas es determinante para un buen acabado. Hay varios tipos de costuras pero la mejor sin duda, es la costura con punto de escalera, que es prácticamente invisible. Se puede aplicar en el punto de media, punto de musgo y punto de arroz.

Es la que más uso. Funciona para cualquier hilo o lana y forma una costura plana cogiendo a la vez ambos lados –esto evita tener que sujetar previamente las piezas con alfileres. Se cose siempre por el lado derecho del tejido, es muy útil para cerrar puntos con rayas o dibujos como en el estilo Fair Isle.

Hay otros tipos de costuras, cada cual con su utilidad. Por ejemplo la costura con punto atrás puede servir para coser una manga con más volumen. Es también útil para coger cabos sueltos en labores de patchwork o hebras sueltas el ribete. Recuerde que para coser con punto atrás la prende deberá estar bien rectas y sujetas.

La costura para unir dos bordes tubulares sirve para la costura de los hombros, mientras que la unión de un ribete con un borde es normalmente usada para unir una manga de costura caída, a los lados. Deberá dejar un cabo largo, al cerrar los puntos, para que lo pueda utilizar para cerrar la pieza. Si no es posible enhebre una aguja lanera, con un extremo largo de hilo.

Las costuras de punto deben ser cosidas con agujas laneras de punta redonda o de tapicería, para evitar romper el hilo. Antes de coser los lados, unir las costuras de los hombros y coser las mangas, a menos que sean de tipo raglan. Aproveche la pieza estirada, para aplicar adornos o hacer bordados.

tipos de costuras

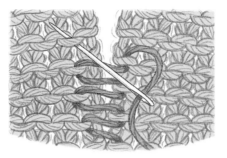

Costura con punto de escalera en punto del derecho y elástico 2 x 2

Colocar los dos lados derechos hacia arriba con los bordes encarados, introducir la aguja entre el 1º y 2º puntos de un borde y sacar cogiendo de igual manera el 1º y 2º puntos del otro borde. Seguir hasta cerrar la costura.

Costura con punto escalera en punto bobo

Colocar los dos lados derechos hacia arriba, introducir la aguja por abajo del primer bucle de la orilla y por arriba del bucle correspondiente en la otra orilla. Seguir hasta cerrar los bordes y formar una costura plana.

Costura con punto de escalera en punto de arroz

Con los dos lados del derecho hacia arriba, insertar la aguja en la hebra que hay entre el 1º y 2º puntos de un borde y sacarla cogiendo la hebra del otro borde.

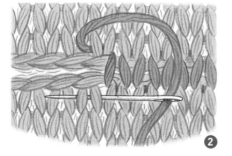

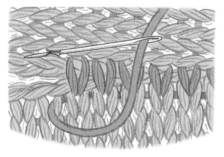

Unir dos bordes cerrados en tubular (injerto)

1 Con los bordes encarados, sacar la aguja por el bucle del 1er punto después del borde.
Introducir la aguja. Insertar la aguja el bucle del 1er punto del otro borde y sacar por el centro del siguiente punto.

2 Seguidamente, introducir de nuevo la aguja en el bucle del primer borde y sacarla por el centro del bucle siguiente.

Unir bordes tubulares con ribetes

Introducir la aguja de atrás hacia delante por el bucle del 1er punto del borde tubular. Después coja las 2 hebras entre el 1º y 2º puntos del ribete y de nuevo por el bucle del mismo punto tubular. Seguir hasta cerrar la costura.

remontarpuntos

Sirve para cuando se desea añadir un borde o una tira del escote a la pieza. Entonces se remallan los puntos alrededor de la orilla. Un borde puede ser cosido con este método. Si desea remontar puntos a lo largo de un borde, la tira delantera de una chaqueta por ejemplo, deberá usar unas agujas circulares para que quepan todos los puntos. El patrón suele indicar la cantidad de puntos a remontar.

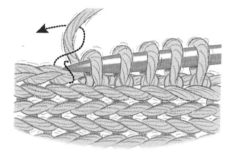

Remontar a lo largo de un ribete

Por el lado derecho de la labor, introducir la aguja de delante hacia atrás por entre el 1° y 2° puntos de la primera vuelta. Poner hebra sobre la aguja y sacar el punto ya tejido. Remontar de esta manera todo el borde.

Remontar puntos alrededor del borde del escote

Trabajar de la misma forma que para el ribete, pero en los bordes redondos introducir la aguja directamente en el centro del punto (para evitar que se formen agujeros) y sacar el punto ya tejido.

tejeren redondo

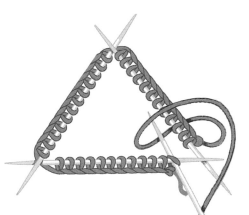

**Tejer en redondo usando
un juego de cuatro agujas**
Es una técnica muy útil para
tubular o tejidos sin
costuras. Los puntos son
divididos por igual entre las tres agujas,
la cuarta aguja es utilizada para tejer.
Las agujas forman un triangulo con los
bordes inferiores de todos los puntos
encarados hacia el centro (Debe tener
cuidado para que no se tuerzan).
La cuarta aguja teje los puntos de la
primera y después siempre que otra
queda libre, normalmente la siguiente.
Para cambiar de aguja, tire firmemente
del hilo en este punto, para evitar
formar un agujero. Marque el inicio
con un marcador.

bordado

El bordado es una excelente forma de realzar una simple chaqueta, como es el caso de la Chaqueta con margaritas, o de criar un bonito efecto como en la Manta de bebé. Para los que aún no se atreven con Fair Isle o intarsia, el bordado es ideal para añadir color a una pieza.

punto de festón

punto de nudo

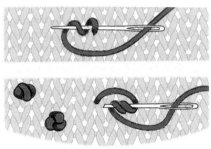

bordado de sujeción

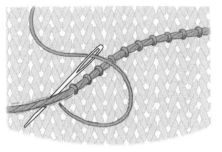

Aunque este punto sea normalmente usado en los bordes de una pieza, el principio es el mismo para el detalle da la Chaqueta con margaritas (ver pág. 120). Sacar el hilo por el borde. Después de calcular la altura y localización del punto, Insertar la aguja de delante hacia atrás manteniendo el hilo debajo de la punta de la aguja, en el borde. Sacar la lazada, volver a pinchar la aguja a una poco distancia, siempre con el hilo debajo de la aguja y repetir hasta terminar el bordado. Sujetar bien el último punto.

Saque la aguja en el lugar donde va a estar el nudo. Enrollar el hilo en vuelta de la aguja dos veces, sujetando bien el hilo. Volver a insertar la aguja en el sitio donde salió el hilo, tirando de la hebra para tensar.

Colocar la hebra siguiendo el contorno. Elija un hilo de adorno a juego, fije la hebra sacando el hilo por debajo y sobre la hebra. Insertar de nuevo la aguja lo mas cerca posible de donde salio en hilo. Repetir a lo largo de la hebra, cuantos más puntos tenga, más sujeta quedará.

pompones

Los pompones son muy fáciles de hacer y resultan ideales para adornar gorros, bufandas y cordones. A los niños les encanta hacerlos y es una forma de introducirlos en el mundo de los hilos, antes que aprendan a tejer. Por una cuestión de seguridad verifique que el nudo del pompón esté bien atado y que no podrá deshacerse ni soltar hebras.

  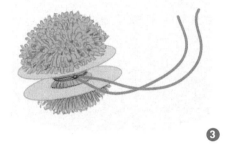

1 Cortar dos círculos de cartón iguales, un poco más pequeños que la medida del pompón. Recortar un agujero en el centro de cada uno y colocarlos juntos. Enrollar el hilo con una aguja de lana desde el centro hacia fuera, hasta que el agujero esté completamente tapado.

2 Cortar la lana de los bordes con la ayuda de unas tijeras, por entre los dos círculos.

3 Atar firmemente un hilo entre los dos círculos y retirar el cartón.

patrones

jerseyarayas

● ● ● ● ● ● ● ● ● ● ● ▶

medidas
Para edades de 3–6 (6–9, 9–12) meses.
medidas reales
Pecho 50 (53, 59) cm.
Largo de hombro 24 (26, 28) cm.
Largo de manga 16 (18, 20) cm.

materiales
2 (3, 3) ovillos de 50 g Debbie Bliss Cotton Cashmere verde (A) y 2 (2, 3) ovillos de 50 g crudo (B).
Un par de agujas de 3^1/$_4$ mm y 3^3/$_4$ mm.
6 botones pequeños.

muestra
22 p y 30 vueltas miden 10 x 10 cm en punto derecho con agujas de 3^3/$_4$ mm.

abreviaturas
Ver página 27.

delantero

Con agujas de 3^1/$_4$ mm y A, montar 57 (61, 67) p.
D 5 vueltas.
Cambiar a agujas de 3^3/$_4$ mm.
Vuelta sig (derecho) D4A, d49 (53, 59)B, d4A.
Vuelta sig D4A, d49 (53, 59)B, d4A.
Vuelta sig D todos los puntos en A.

Vuelta sig D4A, d49 (53, 59)A, d4A.

Vuelta sig D4A, d49 (53, 59)B, d4A.

Vuelta sig (revés) D todos los puntos en B.

Empezar con una vuelta en d, trabajar 2 vueltas en color A y 2 vueltas en color B.

Continuar hasta 21 (23, 25) cm desde el principio, acabando con una vuelta en el revés.

De acuerdo con la secuencia de las rayas, seguir de este modo:

Cuello

Vuelta siguiente (derecho) D17 (18, 20), girar y continuar con estos p sólo para el primer lado del cuello.

Trabajar 2 cm de rayas, acabar con una vuelta en el revés.

Tira de ojales de los hombros

Cambiar a agujas de 3¹/₄ mm y A.

D 2 vueltas.

Vuelta de ojales (derecho) D4 (5, 5), hsa, d2jun, d5 (5, 6), hsa, d2jun, d4 (4, 5).

D 2 vueltas.

Rematar.

Por el derecho, desl 23 (25, 27) p en el centro del delantero en espera, incorporar el hilo adecuado y trabajar hasta el final.

Completar esta cara trabajando la vuelta de los ojales como sigue:

Vuelta de ojales (derecho) D4 (4, 5), d2jun, hsa, d5 (5, 6), d2jun, hsa, d4 (5, 5).

espalda

Trabajar como el delantero, omitiendo los ojales en las tiras de los hombros.

mangas

Con agujas de 3¹/₄ mm y A, montar 35 (37, 39) p.

D 5 vueltas.

Cambiar a agujas de 3³/₄ mm.

Empezar con una vuelta d en B, trabajar una vuelta al derecho y otra al revés en la secuencia de rayas así:

2 vueltas B.

2 vueltas A.

Al mismo tiempo, aum 1 p de cada lado a las 7 vueltas y después cada 8 vueltas hasta tener 43 (47, 51) p.

Continuar recto hasta tener unas mangas de 16 (18, 20) cm desde el principio, acabando con una vuelta en el derecho.

Cerrar.

tira del cuello

Por el derecho, con agujas de 3¹/₄ mm y A, remontar y trabajar 8 p en d para el extremo izquierdo del cuello, 23 (25, 27) p en d para la parte central y 8 p en d para el extremo derecho del cuello. **39 (41, 43) p.**

D 1 vuelta.

Vuelta de los ojales D2, hsa, d2jun, d2, ppde, d2jun, d19 (21, 23), ppde, d2jun, d3, hsa, d2jun, d1.

D 1 vuelta.

Vuelta siguiente D5, ppde, d2jun, d17 (19, 21), ppde, d2jun, d5.

Rematar, dis en las esquinas como antes.

Trabajar la tira posterior del cuello omitiendo los ojales y disminuyendo en las esquinas.

confección

Colocar la tira de los ojales sobre la tira de los botones y unir los puntos de ambas caras. Hacer coincidir el centro de la manga con el centro de las tiras de los hombros y coser a las mangas.

Coser empezando por el escote. Coser las mangas. Coser los botones.

bolerobebé

medidas
Para edades de 3–6 (6–9, 9–12, 12-18, 18-24) meses.
medidas reales
Pecho 51 (55, 60, 64, 69) cm.
Largo de hombro 24 (27, 29, 31, 33) cm.
Largo de manga 13 (15, 17, 20, 22) cm.

materiales
2 (3, 3, 4, 4) ovillos de 50 g de Debbie Bliss Cashmerino Aran en rosa pálido.
Aguja circular de 5 mm.
Aguja circular de 4^1/$_2$ mm.

muestra
18 p y 24 vueltas miden 10 x 10 cm en punto derecho con agujas de 5 mm.

abreviaturas
Ver página 27.

espalda, delantero y mangas

Trabajar en una pieza.
Con agujas de 5 mm, montar 8 p.
R 1 vuelta.
Empezar con una vuelta en d, trabajar una vuelta al derecho y otra al revés.
Montar 10 (11, 12, 13, 14) p al principio de las siguientes 4 vueltas. **48 (52, 56, 60, 64) p.**
Empezar con una vuelta en d, trabajar 20 (24, 26, 30, 32) vueltas.
Cambiar a la aguja circular de 5 mm.

Mangas
Montar 5 (6, 7, 8, 9) p al principio de las siguientes 8 vueltas. **88 (100, 112, 124, 136) p.**
Trabajar 18 (22, 24, 26, 28) vueltas.

División para delanteros
Vuelta sig D36 (41, 47, 52, 58) p, dejar estos p en una aguja auxiliar y cerrar los siguientes 16 (18, 18, 20, 20) p, d hasta el final.
Continuar en la última serie de 36 (41, 47, 52, 58) p para la izquierda.
Trabajar 5 (5, 7, 5, 7) vueltas, acabando en el borde delantero.
Vuelta sig (derecho) D3, laz, d hasta el final.
Trabajar 3 vueltas.
Repetir las últimas 4 vueltas 2 (3, 3, 4, 4) veces más , con el aumento. **40 (46, 52, 58, 64) p.**

Manga
Cerrar 5 (6, 7, 8, 9) p al principio de la siguiente vuelta y de las siguientes 3 vueltas alternas. **20 (22, 24, 26, 28) p.**
Trabajar 8 (10, 10, 12, 12) vueltas.

Delantero
Vuelta sig (derecho) D1, ppde, d hasta el final.
Vuelta sig R hasta el final.
Repetir las últimas 2 vueltas 1 (2, 3, 4, 5) veces más.
Vuelta sig Cerrar 2 p, d hasta el final.
Vuelta sig R hasta el final.
Vuelta sig Cerrar 3 p, d hasta el final.
Vuelta sig R hasta el final.
Vuelta sig Cerrar 4 p, d hasta el final.
Vuelta sig R hasta el final.
Vuelta sig Cerrar 5 p, d hasta el final.
Vuelta sig R hasta el final.
Dejar rest 4 (5, 6, 7, 8) p a la espera.

Delantero derecho
Por el revés, unir hilos a rest 36 (41, 47, 52, 58) p en aguja auxiliar, r hasta el final.
Trabajar 4 (4, 6, 4, 6) vueltas, acabando en el borde.
Vuelta sig (derecho) D en los últimos 3 p, laz, d3.
Trabajar 3 vueltas.
Repetir las últimas 4 vueltas 2 (3, 3, 4, 4) veces más , con el aumento. **40 (46, 52, 58, 64) p.**
Trabajar 1 vuelta, para acabar al final de las mangas.

Manga
Cerrar 5 (6, 7, 8, 9) p al principio de la siguiente vuelta y de las siguientes 3 vueltas alternas. **20 (22, 24, 26, 28) p.**

Trabajar 7 (9, 9, 11, 11) vueltas.

Delantero

Vuelta sig (derecho) D en los últimos 3 p, d2jun, d1.

Vuelta sig R hasta el final.

Repetir las últimas 2 vueltas 1 (2, 3, 4, 5) veces más.

Vuelta sig D hasta el final.

Vuelta sig Cerrar 2 p, r hasta el final.

Vuelta sig D hasta el final.

Vuelta sig Cerrar 3 p, r hasta el final.

Vuelta sig D hasta el final.

Vuelta sig Cerrar 4 p, r hasta el final.

Vuelta sig D hasta el final.

Vuelta sig Cerrar 5 p, r hasta el final.

Dejar rest 4 (5, 6, 7, 8) p en espera.

borde delantero

Por el derecho de la parte inferior del delantero derecho y con la aguja circular de 4$\frac{1}{2}$ mm, d4 (5, 6, 7, 8) p desde los puntos en espera, remontar y d22 (24, 26, 28, 30) p en curva uniforme hasta lo alto de la labor, 11 (11, 13, 13, 15) p a lo largo del borde, seguir 16 (18, 20, 22, 24) p hasta el hombro, 24 (26, 28, 30, 32) p desde el escote posterior, 16 (18, 20, 22, 24) p bajando por el delantero izquierdo hasta el principio del escote, 11 (11, 13, 13, 15) p a lo largo del borde, y d22 (24, 26, 28, 30) p en curva uniforme, seguir d4 (5, 6, 7, 8) p desde los puntos en espera. 130 (142, 158, 170, 186) p.

Vuelta 1 R2, * d2, r2; rep desde * hasta el final.

Vuelta 2 D2, * r2, d2; rep desde * hasta el final.

Rep la últimas 2 vueltas una vez más y la 1 otra vez.

Cerrar en elástico.

borde inferior de la espalda

Por el derecho y con agujas de 4$\frac{1}{2}$ mm, remontar y d54 (58, 62, 66, 70) p a lo largo de la parte baja del borde inferior de la espalda.

Trabajar 5 vueltas en escote como para el borde delantero.

Cerrar en elástico.

puños

Por el derecho y con agujas de 4$\frac{1}{2}$ mm, remontar y d30 (34, 42, 46, 50) p a lo largo de la parte baja del borde inferior de las mangas.

Trabajar 5 vueltas en elástico como para el borde delantero.

Cerrar en elástico.

confección

Unir y coser las mangas.

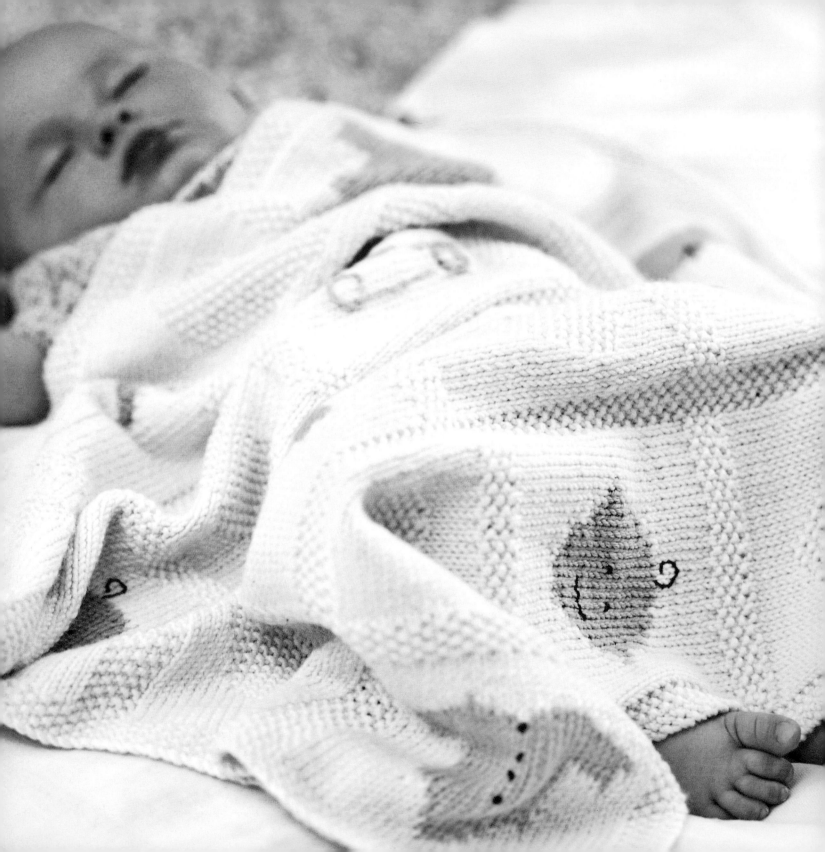

manta bebé

medidas
Largo 60 cm.
Ancho 54 cm.

materiales
4 ovillos de 50 g de Debbie Bliss Baby Cashmerino en crudo (CP) y 2 ovillos de 50 g. 1 en rosa pálido.
(A) y otro en azul pálido (B).
Aguja circular o par de agujas de $3^{1}/_{4}$ mm.
Hilo de algodón marrón.
Hilo de coser rosa pálido.

muestra
25 p y 34 vueltas miden 10 x 10 cm en punto derecho con agujas de $3^{1}/_{4}$ mm.

abreviaturas
Ver página 27.

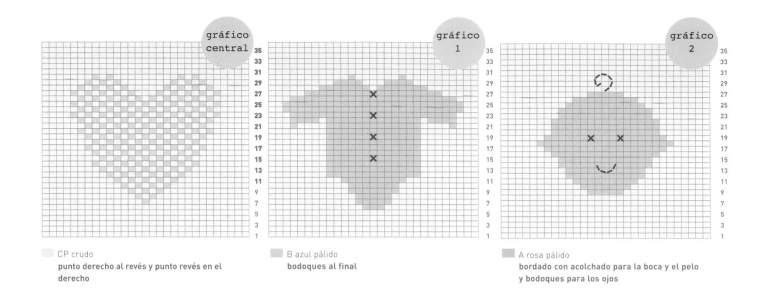

gráfico central	gráfico 1	gráfico 2

CP crudo
punto derecho al revés y punto revés en el derecho

B azul pálido
bodoques al final

A rosa pálido
bordado con acolchado para la boca y el pelo y bodoques para los ojos

Todos los gráficos están trabajados en punto del derecho menos los indicados. Cuando se trabaja sobre un gráfico, las vueltas impares son vueltas d y se leen de derecha a izquierda, las vueltas pares son vueltas r y se leen de izquierda a derecha. Cuando se trabajan motivos, se usa el método de Intarsia (ver páginas 31-33) con ovillos pequeños diferentes para cada área de color e hilos entrelazados en el revés para evitar agujeros al cambiar de color.

manta

Con agujas de 3¹⁄₄ mm y CP, montar 141 p.
Vuelta p arroz D1, [r1, d1] hasta el final.
Rep 5 veces más.

Primera línea de motivos
Vuelta sig (derecho) 5 p arroz, trabajar 29 p del gráfico 1, 5 p arroz, trabajar 29 p del gráfico central, 5 p arroz, trabajar 29 p del gráfico 2, 5 p arroz, trabajar 29 p del gráfico central, 5 p arroz.
Continuar como en la última vuelta para p arroz y según gráficos hasta completar las 36 vueltas del gráfico.
Trabajar 6 vueltas en p arroz.

Segunda línea de motivos
Vuelta sig (derecho) 5 p arroz, trabajar 29 p del gráfico central, 5 p arroz, trabajar 29 p del gráfico 3, 5 p arroz, trabajar 29 p del gráfico central, 5 p arroz, trabajar 29 p del gráfico 4, 5 p arroz.
Continuar como en la última vuelta hasta completar las 36 vueltas del gráfico.
Trabajar 6 vueltas en p arroz.

Tercera línea de motivos
Vuelta sig (derecho) 5 p arroz, trabajar 29 p de gráfico 2, 5 p arroz, trabajar 29 p de

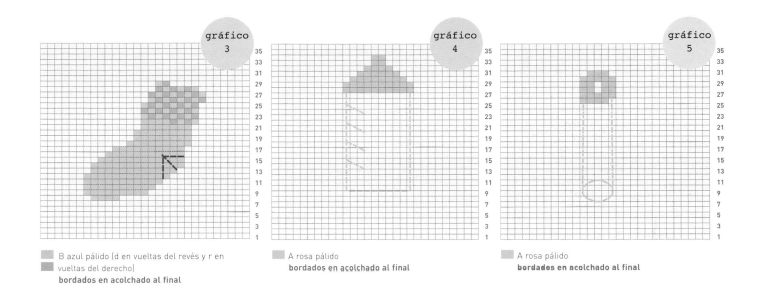

B azul pálido (d en vueltas del revés y r en
vueltas del derecho)
bordados en acolchado al final

A rosa pálido
bordados en acolchado al final

A rosa pálido
bordados en acolchado al final

gráfico central, 5 p arroz, trabajar 29 p de gráfico 5, 5 p arroz, trabajar 29 p de gráfico central, 5 p arroz.

Continuar como en la última vuelta hasta completar las 36 vueltas del gráfico.

Trabajar 6 vueltas en p arroz.

Cuarta línea de motivos
Vuelta sig (derecho) 5 p arroz, trabajar 29 p de gráfico central, 5 p arroz, trabajar 29 p de gráfico 4, 5 p arroz, trabajar 29 p de gráfico central, 5 p arroz, trabajar 29 p de gráfico 1, 5 p arroz.

Continuar como en la última vuelta hasta completar las 36 vueltas del gráfico.

Trabajar 6 vueltas en p arroz.

Quinta línea de motivos
Vuelta sig (derecho) 5 p arroz, trabajar 29 p del gráfico 5, 5 p arroz, trabajar 29 p del gráfico central, 5 p arroz, trabajar 29 p del gráfico 3, 5 p arroz, trabajar 29 p del gráfico central, 5 p arroz.

Continuar como en la última vuelta hasta completar las 36 vueltas del gráfico.

Trabajar 5 vueltas en p arroz.

Cerrar en p arroz.

confección

Trabajar bordados como se indica en los gráficos (ver más arriba). Para los bodoques y líneas acolchadas, en los gráficos 1, 2 y 3, usar 3 hebras de hilo de algodón marrón y una hebra para situar los hilos del acolchado en su lugar. Para las líneas de acolchado en gráficos 4 y 5, usar una hebra de hilo rosa pálido (A) y bordar con hilo de coser.

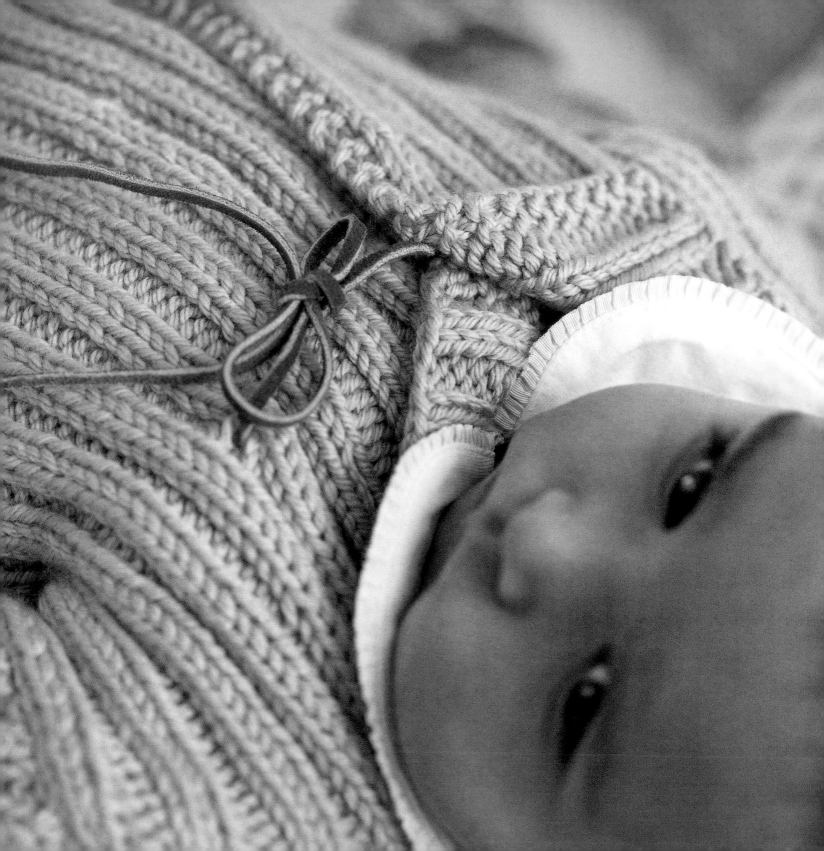

chaquetacruzada

medidas
Para edades de 3–6 (6–9, 9–12, 12-18, 18-24) meses.

medidas reales
Pecho 50 (53, 60, 63, 70) cm.
Largo de hombro 24 (26, 29, 32, 36) cm.
Largo de manga 14 (16, 18, 20, 22) cm.

materiales
3 (4, 4, 5, 5) ovillos de 50 g de Debbie Bliss Cashmerino Aran en color principal (CP) y 1 ovillo de 50 g en color a contraste (CC).
Un par de agujas de 4^1/$_2$ mm y 5 mm.
Un botón.
Una cinta de 50 cm o un cordón de piel.

muestra
24 p y 24 vueltas miden 10 x 10 cm en punto elástico con agujas de 5 mm.

abreviaturas
Ver página 27.

espalda

Con agujas de 5 mm y C, montar 62 (66, 74, 78, 88) p.

Vuelta 1 (derecho) D2, * r2, d2; rep desde * hasta el final.

Vuelta 2 R2, * d2, r2; rep desde * hasta el final.

Estas 2 vueltas forman el elástico.

Cambiar a CP.

Continuar en elástico hasta 14 (15, 17, 19, 22) cm desde el principio, acabando con una vuelta en el revés.

Sisas

Montar 1 p al empezar las siguientes 2 vueltas. **64 (68, 76, 80, 88) p.**

Continuar en elástico hasta 24 (26, 29, 32, 36) cm desde el principio, acabando con una vuelta del revés.

Cerrar.

delantero izquierdo

Con agujas de 5 mm y C, montar 40 (44, 48, 48, 88) p.

Vuelta 1 (derecho) D2, * r2, d2; rep desde * hasta últimos 6 p, r2, d4.

Vuelta 2 *D2, * r2; rep desde * hasta el final.

Estas 2 vueltas forman el elástico.

Cambiar a CP.

Continuar en elástico hasta 14 (15, 17, 19, 22) cm desde el principio, acabando con una vuelta en el revés.

Sisa

Montar 1 p al principio de la siguiente vuelta. **41 (45, 49, 49, 53) p.**

Montar p como r1 en vuelta del derecho y d1 en vueltas del revés, seguir en elástico como hasta ahora hasta 22 (24, 24, 27, 29) cm desde el principio, acabando con una vuelta del revés.

Vuelta del ojal elástico hasta completar 4 vueltas, d2jun, hsa, d2.

Cuello

Vuelta siguiente Cerrar 21 (24, 27, 26, 29) p, mues hasta el final.

Trabajar en elástico hasta que la medida del delantero sea igual que la de la espalda, acabando con una vuelta del revés.

Cerrar.

delantero derecho

Con agujas de 5 mm y C, montar 40 (44, 48, 48, 88) p.

Vuelta 1 (derecho) D4, * r2, d2; rep desde * hasta el final.

Vuelta 2 R2, * d2, r2; rep desde * hasta últimos 2p, d2.

Estas 2 vueltas forman el elástico.

Cambiar a CP.

Continuar en elástico hasta 14 (15, 17, 19, 22) cm desde el principio, acabando con una vuelta en el derecho.

Sisa

Montar 1 p al principio de la siguiente vuelta. **41 (45, 49, 49, 53) p.**

Montar p como r1 en vuelta del derecho y d1 en vueltas del revés, seguir hasta que la medida del delantero sea igual a la de la espalda, acabando con una vuelta del revés.

Cerrar.

mangas

Con agujas de 5 mm y C, montar 42 (46, 50, 54, 58) p.
Vuelta 1 (derecho) D2, * r2, d2; rep desde * hasta el final.
Cambiar a CP.
Vuelta 2 R2, * d2, r2; rep desde * hasta el final.
Estas 2 vueltas forman el elástico.
Trabajar 6 vueltas.
Cambiar a agujas de 4¹/₂ mm.
Trabajar 8 vueltas.
Cambiar a agujas de 5 mm.
Cont en elástico y aum 1 p en cada extremo de la vuelta 5 y seguir en vuelta 4 hasta
52 (58, 64, 72, 76) p.
Continuar recto hasta tener unas mangas de 19 (21, 23, 25, 27) cm desde el principio, acabando con una
vuelta en el revés.
Cerrar.

confección

Coser la costura de los hombros. Coser las mangas. Unir las caras y coser las mangas, dejando una
vuelta de 5 cm para el puño. Hacer coincidir delantero izquierdo con delantero derecho, coser botón
en el revés del delantero derecho en correspondencia con el ojal. Cortar cinta por la mitad y coser
una parte al extremo delantero derecho y la otra en el delantero izquierdo para que coincidan, luego
atar.

medidas
Para edades de 3–6 (6–9, 9–12) meses.
medidas reales
Pecho 50 (53, 56) cm.
Largo de hombro 26 (28, 30) cm.
Largo de manga 15 (16, 17) cm.

materiales
3 (4, 4, 4, 4) ovillos de 50 g de Debbie Bliss Baby Cashmerino en azul verdoso.
Agujas de $2^3/_4$ mm, $3^1/_4$, $3^3/_4$ mm y 4 mm.
1 m de cinta estrecha.

muestra
25 p y 34 vueltas miden 10 x 10 cm en punto derecho con agujas de $3^1/_4$ mm.

abreviaturas
Ver página 27.

nota
Para medir la longitud entre los ojales, hay que hacerlo
tomando como referencia un punto situado entre los agujeros de los ojales.

chaquetamatinée

espalda

Con agujas de 4 mm, montar 81 (89, 97) p.

Vuelta 1 D1, * hsa, desld2junde, d2, hsa, d1; rep desde * hasta el final.

Vuelta 2 R hasta el final.

Repetir estas dos vueltas hasta llegar a 6 cm del borde (ver Nota) acabando con una vuelta r.

Cambiar a agujas de 3³/₄ y cont en mues hasta 11 (12, 13) cm del borde, acabando con una vuelta r.

Cambiar a agujas de 3¹/₄ y cont en mues hasta 15 (16, 17) cm del borde, acabando con una vuelta 1.

Dis (revés) R10 (5, 2), d2jun, r1 (3, 1), [r2jun, r3 (1, 3), r2jun, r1 (3, 1)] 7 (9, 11) veces, r2jun, r10 (5, 2). **65 (69, 73) p.**

Empezar con una vuelta d, trabajar en d hasta 26 (28, 30)cm, y acabar con una vuelta r.

Hombros

Cerrar 20 (21, 22) p al principio de las siguientes 2 vueltas.

Dejar rest 25 (27, 29) p en espera.

delantero izquierdo	Con agujas de 4 mm, montar 42 (50, 58) p. **Vuelta 1** D1, * hsa, d2, desld2junde, d2, hsa, d1; rep desde * hasta último p, d1. **Vuelta 2** R hasta el final. **Repetir estas dos vueltas hasta llegar a 6 cm del borde, acabando con una vuelta r. Cambiar a agujas de 3³/₄ y cont en mues hasta 11 (12, 13) cm del borde, acabando con una vuelta r. Cambiar a agujas de 3¹/₄ y cont en mues hasta 15 (16, 17) cm del borde, acabando con una vuelta 1. Dis (revés) R y dis 8 (14: 20) p al acabar la vuelta. **34 (36, 38) p.**** D 1 vuelta. **Cuello** Cont en d y cerrar 2 p al principio (borde del cuello) de la sig vuelta y sig vuelta del revés, luego dis 1 p en el mismo borde en las sig 5 (6: 7) vueltas alt, y luego cada 4 vueltas hasta 20 (21: 22) p rest. Continuar hasta que el delantero tenga las mismas medidas que la espalda.. Cerrar.

delantero derecho

Con agujas de 4 mm, montar 42 (50, 58) p.
Vuelta 1 D2, hsa, d2, desld2junde, d2, hsa, d1; rep desde * hasta el final.
Vuelta 2 R hasta el final.
Trabajar exactamente como delantero izquierdo desde ** a **.
Cuello
Cerrar 2 p (borde del cuello) en la sig vuelta y sig vuelta del revés, luego dis 1 p en el mismo borde en las sig 5 (6: 7) vueltas alt, y luego cada 4 vueltas hasta 20 (21: 22) p rest.
Continuar hasta que el delantero tenga las mismas medidas que la espalda.
Cerrar.

mangas

Con agujas de 4 mm, montar 41 (41, 49) p.
Vuelta 1 D1, * hsa, desld2junde, d2, hsa, d1; rep desde * hasta el final.
Vuelta 2 R hasta el final.
Rep estas 2 vueltas 3 veces más.
Cambiar a agujas de 3¹/₄ mm.
Emp con una vuelta d, trabajar en d y, **al mismo tiempo**, aum 1 p en cada extremo de la vuelta 5, y 6 (9, 8) p en las sig vueltas 5 (4, 5). **55 (61, 67) p.**
Continuar recto hasta tener unas mangas de 15 (16, 17) cm, acabando con una vuelta r.
Cerrar.

bordes

Coser la costura de los hombros.
Por el derecho y con agujas de 2³/₄ mm, remontar y d 44 (46, 48) p subiendo por el borde delantero derecho para empezar el cuello, 26 (28, 32) p hasta el hombro, 25 (27, 29) p de la parte posterior del cuello, 26 (28, 32) bajando desde el hombro, luego 44 (46, 48) p bajando por el borde delantero izquierdo. **165 (175, 189) p.**
Rematar.

confección

Hacer coincidir el centro de la manga con el hombro y coser a las mangas. Unir y coser las mangas.
Insertar la cinta alrededor del cuello y delantero a través del agujero de la última vuelta y atar por delante.

osito

tamaño

Aproximadamente 30 cm de alto.

materiales

2 ovillos de 50 g de Debbie Bliss Baby Cashmerino en color piedra.
Agujas de 3 mm.
Relleno de juguetes lavable.
Fieltro negro e hilo de coser a juego.

muestra

27 p y 56 vueltas miden 10 x 10 en punto bobo.
con agujas de 3 mm.

abreviaturas

Ver página 27.

cuerpo

Hacer 2 piezas, empezando en los hombros..
Con agujas de 3 mm, montar 22 p.
D 10 vueltas.
Cont en p musgo y aum 1 p en cada extremo de la sig vuelta y 6 en las siguientes 6 vueltas. **36 p.**
D 7 vueltas.
Base
Vuelta sig D1, ppde, d13, d2jun, ppde, d13, d2jun, d1. **32 p.** D 1 vuelta.
Vuelta sig D1, ppde, d11, d2jun, ppde, d11, d2jun, d1. **28 p.** D 1 vuelta.
Vuelta sig D1, ppde, d9, d2jun, ppde, d9, d2jun, d1. **24 p.** D 1 vuelta.
Cont dis 4 p en cada vuelta alt de esta manera hasta 8 p rest. D 1 vuelta.
Vuelta sig D1, desld2junde, d3jun, d1. **4 p.**
Vuelta sig [D2jun] dos veces.
Vuelta sig D2jun y rematar.

cabeza

Hacer 1 pieza.
Con agujas de 3 mm, montar 32 p. D 2 vueltas.
Vuelta sig [Ddd, d6, ddd] 4 veces. **40 p.** D 1 vuelta.
Vuelta sig [Ddd, d8, ddd] 4 veces. **48 p.** D 1 vuelta.
Vuelta sig [Ddd, d10, ddd] 4 veces. **56 p.** D 30 vueltas.
Coronilla
Vuelta sig [Ppde, d10, d2jun] 4 veces. **48 p.** D 1 vuelta.
Vuelta sig [Ppde, d8, d2jun] 4 veces. **40 p.** D 1 vuelta.
Vuelta sig [Ppde, d6, d2jun] 4 veces. **32 p.** D 1 vuelta.
Vuelta sig [Ppde, d4, d2jun] 4 veces. **24 p.** D 1 vuelta.
Vuelta sig [Ppde, d2, d2jun] 4 veces. **16 p.** D 1 vuelta.
Vuelta sig [Ppde, d2jun] 4 veces. **8 p.** D 1 vuelta.
Vuelta sig [Ppde, d2jun] dos veces. **4 p.**
Cortar hilo, ensartar a través de rest p, tirar y rematar.

hocico

Hacer 1 pieza.
Con agujas de 3 mm, montar 36 p. D 10 vueltas.
Vuelta sig *D1, d2jun; rep desde * hasta el final. **24 p.** D 1 vuelta.
Vuelta sig [D2jun] hasta el final. **12 p.** D 1 vuelta.
Cortar hilo, pasarlo a través de p, tirar y rematar.

piernas

Hacer 2 piezas.
Con agujas de 3 mm, montar 8 p. K 20 vueltas para la suela.
Dedos
Seguir en p bobo y montar 14 p al empezar las siguientes 2 vueltas. **36 p.** D 6 vueltas.
Dis 1 p al empezar las siguientes 10 vueltas. **26 p.** D 30 vueltas.
Coronilla
Vuelta sig D5, ppde, d2jun, d8, ppde, d2jun, d5. **22 p.** D 1 vuelta.
Vuelta sig D4, ppde, d2jun, d6, ppde, d2jun, d4. **18 p.** D 1 vuelta.
Vuelta sig D3, ppde, d2jun, d4, ppde, d2jun, d3. **14 p.** D 1 vuelta.

Vuelta sig D2, ppde, d2jun, d2, ppde, d2jun, d2. **10 p.** D 1 vuelta.
Vuelta sig D1, ppde, d2jun, ppde, d2jun, d1. **6 p.**
Vuelta sig [D2jun] 3 veces.
Vuelta sig D3jun y rematar.

brazos

Hacer 2 piezas.
Con agujas de 3 mm, montar 4 p. D 1 vuelta.
Vuelta sig [Ddd] 3 veces, d1. **7 p.** D 1 vuelta.
Vuelta sig [Ddd] 6 veces, d1. **13 p.** D 1 vuelta.
Vuelta sig [Ddd] 12 veces, d1. **25 p.** D 36 vueltas.
Coronilla
Vuelta sig D2jun prbu, d8, d2jun, d1, d2jun prbu, d8, d2jun. **21 p.** D 1 vuelta.
Vuelta sig D2jun prbu, d6, d2jun, d1, d2jun prbu, d6, d2jun. **17 p.** D 1 vuelta.
Vuelta sig D2jun prbu, d4, d2jun, d1, d2jun prbu, d4, d2jun. 13 p. D 1 vuelta.
Vuelta sig D2jun prbu, d2, d2jun, d1, d2jun prbu, d2, d2jun. **9 p.** D 1 vuelta.
Vuelta sig D2jun prbu, d2jun, d1, d2jun prbu, d2jun. **5 p.** D 1 vuelta.
Vuelta sig D2jun prbu, d1, d2jun. **3 p.**
Vuelta sig D3jun y rematar.

orejas

Hacer 2 piezas.
Con agujas de 3 mm, montar 13 p. D 4 vueltas.
Dis 1 p en cada extremo de la sig vuelta y 3 en las sig vueltas alt. **5 p.** D 1 vuelta.
Dis 1 p en cada extremo de la sig vuelta y 3 en las sig vueltas alt. **13 p.** D 4 vueltas.
Cerrar.

confección

Coser las dos piezas del cuerpo, dejando los hombros abiertos. Colocar el relleno de manera uniforme y unir las costuras. Coser la parte posterior de la cabeza y dejar el cuello abierto. Colocar el relleno de manera uniforme. Coser el hocico, dejando un borde abierto. Rellenar ligeramente y acabar de unir a la cabeza.. Coser la base de la cabeza a los hombros. Doblar las orejas por la mitad, situar en la cabeza y coser. Coser las piernas por delante con un hueco arriba y colocar las suelas. Rellenar de forma uniforme las piernas y coser al cuerpo. Coser los brazos dejando un hueco arriba, rellenar y coser al cuerpo. Cortar dos círculos pequeños de fieltro negro para los ojos y un cuarto para la nariz y colocar.

patucos

tamaño
Para edades de 0–3 (3–6) meses.

materiales
Un ovillo de 50 g de Debbie Bliss Baby Cashmerino en color principal (CP) y una pequeña cantidad de color contrastado (CC).
Un par de agujas 2³/₄ mm y 3 mm.

muestra
27 p y 36 vueltas miden 10 x 10 cm en punto derecho con agujas de 3 mm.

abreviaturas
Ver página 27.

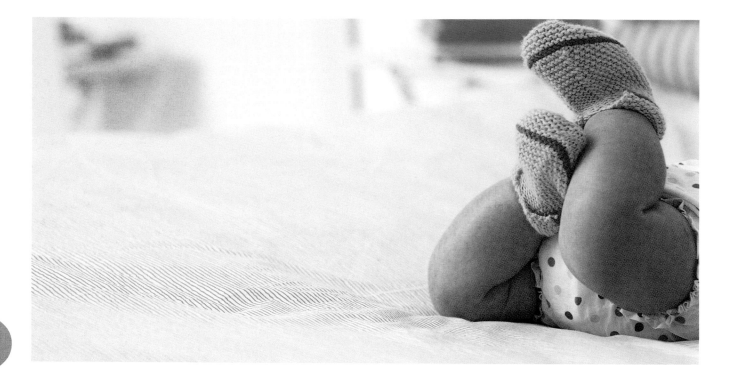

confección

Con agujas de 2³/₄ mm y CP, montar 26 p.

Vuelta 1 D hasta el final.

Vuelta 2 D1, hsa, d11, hsa, d2, hsa, d11, hsa, d1.

Vuelta 3 y sig vueltas alt D hasta el final.

Vuelta 4 D2, hsa, d11, hsa, d4, hsa, d11, hsa, d2.

Vuelta 6 D3, hsa, d11, hsa, d6, hsa, d11, hsa, d3.

Vuelta 8 D4, hsa, d11, hsa, d8, hsa, d11, hsa, d4.

Vuelta 10 D5, hsa, d11, hsa, d10, hsa, d11, hsa, d5. **46 p.**

Vuelta 12 D6, hsa, d11, hsa, d12, hsa, d11, hsa, d6. **50 p.**

Vuelta 13 D hasta el final.

Sólo en el segundo tamaño

Vuelta 14 D7, hsa, d11, hsa, d14, hsa, d11, hsa d7. **54 p.**

Vuelta 15 D hasta el final.

Ambos tamaños

Cambiar a agujas de 3 mm.

Con CC, d 2 vueltas.

Cambiar a CP.

Vuelta sig (del derecho) D hasta el final.

Vuelta sig [D1, r1] 11 (12) veces, d6, [r1, d1] 11 (12) veces.

La última vuelta hacer el empeine en p arroz con p bobo y se repite dos veces más.

Empeine

Trabajar como sigue en p arroz:

Vuelta 1 (del derecho) P arroz 21 (23), d2jun, d4, d2jun, p arroz 21 (23).

Vuelta 2 P arroz 21 (23), d6, p arroz 21 (23).

Vuelta 3 P arroz 20 (22), d2jun, d4, d2 jun, p arroz 20 (22).

Vuelta 4 P arroz 20 (22), d6, p arroz 20 (22).

Vuelta 5 P arroz 19 (21), d2jun, d4, d2 jun, p arroz 19 (21).

Vuelta 6 P arroz 19 (21), d6, p arroz 19 (21).

Cont de este modo y dis 2 p en cada vuelta del derecho hasta que queden 28 (30) p, acabar con una vuelta del revés.

Cambiar a agujas de 2 3/4 mm.

Trabajar 10 vueltas.

Poner una señal en los extremos de la última vuelta

Cambiar a agujas de 3 mm.

Vuelta sig [D1, r1] 7 veces, d0 (1), girar y seguir con este p.

Seguir con 10 vueltas en p arroz.

Cambiar a CC.

D 2 vueltas.

Cerrar.

Por el derecho, con agujas de 3 mm y CP, unir a rest p y trabajar como sigue:

Vuelta sig D0 (1), [r1, d1] 7 veces.

Seguir con 10 vueltas en p arroz.

Cambiar a CC.

D 2 vueltas.

Cerrar.

confección

Coser suela por detrás de las señales, luego coser por el revés de modo que el dobladillo muestre el derecho.

chaqueta con canesú de trenzas

medidas
Para edades de 9–12 (12–18, 18–24) meses.
medidas reales
Pecho 65 (69, 75) cm.
Largo de hombro 30 (34, 38) cm.
Largo de manga 16 (18, 23) cm.
.

materiales
6 (7, 8) ovillos de 50 g de Debbie Bliss Cotton Double Knitting en color cáscara de huevo.
Agujas de $3^3/_4$ mm y 4 mm.
Aguja de trenza auxiliar.
Cremallera de 25 (25, 30) cm de cerrado rápido.

muestra
20 p y 28 vueltas miden 10 x 10 cm en punto de media con agujas de 4 mm.

abreviaturas
Ver página 27.

espalda

Con agujas de 3³/₄ mm, montar 67 (71, 77) p.
Vuelta p arroz D1, [r1, d1] hasta el final.
Rep esta vuelta 3 veces más.
Cambiar a agujas de 4 mm.
Emp con una vuelta d, trabajar en punto de media hasta que la espalda tenga 16 (18, 20) cm desde el principio, acabar con una vuelta d.
Aum R3 (5, 8), [rdd, r5] 10 veces, rdd, r3 (5, 8). 78 (82, 88) p. **78 (82, 88) p.**

Canesú

Vuelta 1 (del derecho) P arroz 2 (4, 7), [a4a, p arroz 3] 10 veces, a4a, p arroz 2 (4, 7).
Vuelta 2 P arroz 2 (4, 7), [r4, p arroz 3] 10 veces, r4, p arroz 2 (4, 7).
Vuelta 3 P arroz 2 (4, 7), [d4, p arroz 3] 10 veces, d4, p arroz 2 (4, 7).
Vuelta 4 Como vuelta 2.
Rep las últimas 4 vueltas hasta 30 (34, 38) cm desde el principio, acabar con una vuelta en el revés.
Cerrar todos los p, trabajando ppde por los 2 p centrales de cada trenza.

delantero izquierdo

Con agujas de 3³/₄ mm, montar 32 (34, 36) p.
Vuelta 1 p arroz [R1, d1] hasta el final.
Vuelta 2 p arroz [D1, d1] hasta el final.
Rep estas 2 vueltas una vez más.
Cambiar a agujas de 4 mm agujas y trabajar como sigue,
Vuelta 1 D hasta últimos 3 p, p arroz 3.
Vuelta 2 p arroz 3, r hasta el final.
Rep las últimas 2 vueltas hasta 16 (18, 20) cm desde el principio, acabar con una vuelta del derecho.
Aum p arroz 3, r1, [rdd, r5] 4 veces, rdd, r3 (5, 7) y aum 1 p en último p del tamaño más grande solo.
37 (39, 42) p.

Canesú

Vuelta 1 (del derecho) P arroz 2 (4, 7), [a4a, p arroz 3] 5 veces.
Vuelta 2 P arroz 3, [r4, P arroz 3] 4 veces, r4, p arroz 2 (4, 7).
Vuelta 3 P arroz 2 (4, 7), [d4, p arroz 3] 5 veces.
Vuelta 4 Como vuelta 2.
Rep las últimas 4 vueltas hasta que el delantero mida 25 (28, 32) cm, acabar con una vuelta al revés.

Cuello

Vuelta sig Patrón 34 (36, 39) y desl rest 3 p en un imperdible para el cuello.
Vuelta sig (del revés) Cerrar los 4 p de la trenza r2jun prbu en 2 p centrales, patrón hasta el final.
Patrón 1 vuelta.
Vuelta sig Cerrar 3 p, patrón hasta el final.
Dis 1 p en borde del cuello en siguientes 5 vueltas. **22 (24, 27) p.**
Trabajar unas pocas vueltas en patrón hasta delantero 30 (34, 38) cm, acabar con una vuelta en el revés.
Cerrar todos los puntos, trabajando ppde desde los 2 puntos centrales de cada trenza.

delantero derecho

Con agujas de 3³/₄ mm, montar 32 (34, 36) p.

Vuelta 1 P arroz [D1, r1] hasta el final.

Vuelta 2 P arroz [R1, d1] hasta el final.

Rep estas 2 vueltas una vez más.

Cambiar a agujas de 4 mm agujas y trabajar como sigue,

Vuelta 1 P arroz 3, d hasta el final.

Vuelta 2 R hasta últimos 3 p, p arroz 3.

Rep las últimas 2 vueltas hasta que el delantero mida 16 (18, 20) cm desde el principio, acabar con una vuelta del derecho.

Sólo tamaños primero y segundo

Aum R3 (5), [rdd, r5] 4 veces, rdd, p1, p arroz 3. **37 (39) p.**

Sólo en tamaño más grande

Aum en primer p, r6, [rdd, r5] 4 veces, rdd, r1, p arroz 3. **42 p.**

Todos los tamaños

Canesú

Vuelta 1 (del derecho) [P arroz 3, a4a] 5 veces, p arroz 2 (4, 7).

Vuelta 2 P arroz 2 (4,7), [r4, p arroz 3] 5 veces

Vuelta 3 [p arroz 3, d4] 5 veces, p arroz 2 (4, 7).

Vuelta 4 Como vuelta 2.

Rep las últimas 4 vueltas hasta que el delantero mida 25 (28, 32) cm, acabar con una vuelta en el revés.

Cuello

Vuelta sig P arroz 3 y desl estos puntos en un imperdible para el cuello, cerrar siguientes 4 p de la trenza con ppde en 2 puntos centrales, luego patrón hasta el final.

Patrón 1 vuelta.

Vuelta sig Cerrar 3, patrón hasta el final.

Patrón 1 vuelta, luego dis 1 p de las 5 vueltas siguientes en el borde del cuello. **22 (24, 27) p.**

Trabajar unas pocas vueltas en patrón hasta 30 (34, 38) cm, acabar con una vuelta en el revés.

Cerrar todos los puntos, trabajando ppde desde los 2 puntos centrales de cada trenza.

mangas

Con agujas de 3³/₄ mm, montar 31 (33, 35) p.

Vuelta p arroz D1, [r1, d1] hasta el final.

Rep esta vuelta 3 veces más.

Aum (del derecho) D todos los p y aum 4 (4, 6) p. **35 (37, 41) p.**

Cambiar a agujas de 4 mm.

Emp con una vuelta r, aum 1 p en los extremos cada 4 (4, 2) vueltas y las siguientes 4 (4, 6) vueltas hasta 51 (55, 59) p.

Continuar recto hasta tener unas mangas de 16 (18, 23) cm desde el principio, acabando con una vuelta r.

Cerrar.

cuello

Coser la costura de los hombros.
Por el derecho y con agujas de 3³/₄ mm, desl 3 p desde imperdible derecho hasta aguja,
remontar y d 15 (16, 17) p subir delantero derecho del cuello, 29 (31, 33) p parte posterior
del cuello, 15 (16, 17) p bajar delantero izquierdo del cuello, luego p arroz cruzando 3 p desde
imperdible izquierdo.
65 (69, 73) p.
P arroz 1 vuelta como hecho desde imperdibles.
2 vueltas sig P arroz hasta últimos 21 p, girar.
2 vueltas sig P arroz hasta últimos 16 p, girar.
2 vueltas sig P arroz hasta últimos 11 p, girar.
2 vueltas sig P arroz hasta últimos 6 p, girar.
Vuelta sig P arroz en todos los p.
P arroz 10 vueltas.
Cerrar en p arroz.

confección

Colocar los bordes de las mangas en el hombro e hilvanar. Una vez unidas, coser las mangas al
hombro. Coser a mano la cremallera en el borde posterior del punto de arroz.

abrigo
delana

medidas
Para edades de 3–6 (6–12, 12–18, 24–36) meses.

medidas reales
Pecho 60 (64, 68, 71) cm.
Largo 36 (39, 43, 50) cm.
Largo de manga 16 (18, 20, 23) cm.

materiales
8 (8, 9, 10) ovillos de 50 g de Debbie Bliss Cotan Cashmere en color chocolate.
Un par de agujas de $3^1/_4$ mm y $3^3/_4$ mm.
4 (4, 4, 6) botones.
114 cm de cinta de terciopelo de 15 mm.

muestra
22 p y 36 vueltas miden 10 x 10 cm en punto de arroz con agujas de $3^3/_4$ mm.

abreviaturas
Ver página 27.

espalda

Con agujas de 3¹/₄ mm, montar 103 (109, 115, 121) p.

D 3 vueltas.

Cambiar a agujas de 3³/₄ mm.

Vuelta sig R1, *d1, r1; rep desde * hasta el final.

Esta vuelta forma el p arroz.

Cont en p arroz hasta que la espalda tenga 21 (23, 26, 32) cm desde principio, acabar con una vuelta en el revés.

Dis P arroz 2, *trabajar 3 jun, p arroz 3; rep desde * hasta últimos 5 p, trabajar 3 jun, p arroz 2.

69 (73, 77, 81) p.

Cambiar a agujas de 3¹/₄ mm.

Cont en p arroz hasta que la espalda tenga 26 (28, 31, 37) cm desde principio, acabar con una vuelta en el revés.

Sisas

Cerrar 5 (6, 7) p al principio de las siguientes 2 vueltas. **59 (61, 63, 65) p.**

Cont así hasta que la espalda tenga 36 (39, 43, 50) cm desde principio, acabar con una vuelta en el revés.

Hombros

Cerrar 10 p al principio de las sig 2 vueltas y 10 (10, 10, 11) p al principio de las sig 2 vueltas.

Cerrar rest 19 (21, 23, 23) p.

delantero izquierdo

Con agujas de 3¹/₄ mm, montar 57 (59, 65, 67) p.

D 3 vueltas.

Cambiar a agujas de 3³/₄ mm.

Vuelta sig (del derecho) *D1, r1; rep desde * hasta últimos 3 p, d3.

Vuelta sig, D3, *r1, d1; rep desde * hasta el final.

Estas 2 vueltas enlazan el p de arroz con el p bobo en los bordes.

Continuar en patrón hasta 21 (23, 26, 32) cm desde el principio, acabando con una vuelta en el revés.

Dis P arroz 3, [trabajar 3 jun, p arroz 3] 6 (6, 7, 7) veces, p arroz hasta últimos 3 p, d3.

45 (47, 51, 53) p.

Cambiar a agujas de 3¹/₄ mm.

Cont en p arroz hasta que la espalda tenga 26 (28, 31, 37) cm desde el principio, acabar con una vuelta en el revés.

Sisa

Cerrar 5 (6, 7, 8) p al principio de la sig vuelta. **40 (41, 44, 45) p.**

Cont así hasta que el delantero tenga 27 (29, 33, 40) cm desde principio, acabar con una vuelta en el revés.

Cuello

Vuelta sig (del derecho) P arroz hasta últimos 3 p, girar y dejar estos 3 p en un imperdible a la izq. del cuello.

Dis 1 p en el borde del cuello en cada vuelta hasta que queden 20 (20, 21) p.

Continuar hasta que el delantero tenga las mismas medidas que la espalda, acabar en la cara exterior.

Hombro

Cerrar 10 p al principio de la sig vuelta.

Trabajar 1 vuelta.

Cerrar rest 10 (10, 10, 11) p.

Marcar posición de los botones, el primer par alineado con la primera vuelta de p arroz, el segundo (2º, 2º, 3º) par 1 cm debajo del cuello y el restante 0 (0, 0, 1) equidistante entre ambos.

delantero derecho

Con agujas de 3$^1/_4$ mm, montar 57 (59, 65, 67) p.
D 3 vueltas.
Cambiar a agujas de 3$^3/_4$ mm.
Vuelta sig (del derecho) D3, *r1, d1; rep desde * hasta el final.
Vuelta sig *D1, r1; rep desde * hasta últimos 3 p, d3.
Estas 2 vueltas enlazan el p de arroz con el p bobo en los bordes.
Continuar en patrón hasta 21 (23, 26, 32, 22) cm desde el principio, acabando con una vuelta en el revés.
Vuelta sig D3, hsa, trabajar 2 jun, p arroz 10 (12, 12, 14), trabajar 2 jun, hsa, p arroz 2, girar y cont así 19 (21, 21, 23) p sólo.
Trabajar 6 vueltas (hasta abertura vertical) en estos puntos.
Dejar estos puntos en una aguja auxiliar.
Por el derecho, unir a rest 38 (38, 44, 44) p y trabajar como sigue:
Vuelta sig [Trabajar 3 jun, p arroz 3] 6 (6, 7, 7) veces, p arroz 2. **26 (26, 30, 30) p.**
Seguir con 6 vueltas en p arroz.
Vuelta sig (del revés) P arroz hasta el final, luego p arroz en p de aguja auxiliar. **45 (47, 51, 53) p.**
Seguir haciendo 1 (1, 1, 2) pares de ojales según las marcas.
Cont en p arroz hasta que el delantero tenga 26 (28, 31, 37) cm desde el principio, acabar con una vuelta en el derecho.
Sisa
Cerrar 5 (6, 7) p al principio de la sig vuelta. **40 (41, 44, 45) p.**
Cont así hasta que el delantero tenga 27 (29, 33, 40) cm desde principio, acabar con una vuelta en el revés.
Cuello
Vuelta sig (del derecho) D3, dejar estos puntos en un imperdible a la derecha del cuello, p arroz hasta el final.
Dis 1 p en el borde del cuello en cada vuelta hasta que queden 20 (20, 21) p.
Continuar hasta que el delantero tenga las mismas medidas que la espalda, acabar en la cara exterior.
Hombro
Cerrar 10 p al principio de la sig vuelta.
Trabajar 1 vuelta.
Cerrar rest 10 (10, 10, 11) p.

mangas

Con agujas de 3$^1/_4$ mm, montar 31 (33, 37, 39) p.
D 3 vueltas.
Cambiar a agujas de 3$^3/_4$ mm.
Vuelta sig, R1, *d1, r1; rep desde * hasta el final.
Esta vuelta forma el p arroz.
Trabajar 3 vueltas más.
Aum 1 p en cada extremo de la sig vuelta y en cada una de las 6 sig hasta 41 (47, 55, 59) p.
Cont hasta que las mangas midan 16 (18, 20, 23) cm desde el principio, acabar con una vuelta en el revés.
Marcar los extremos de la última vuelta con un hilo de color.
Trabajar 8 (10, 10, 12) vueltas.
Cerrar.

cuello izquierdo

Por el derecho, con agujas de 3¹/₄ mm, d en 3 p de la tira delantera izquierda
D 1 vuelta.
Cont en p bobo y aum 1 p en cada extremo de la sig vuelta y en cada una de las sig 4 hasta 21 p, acabando en el otro extremo del cuello.
Cuello
2 vueltas siguientes D12, desl 1, girar, d hasta el final.
D 4 vueltas.**
Rep desde ** a ** hasta que el borde corto del cuello ajuste con el lado izquierdo del escote delantero y la mitad del borde del cuello por detrás.
Cerrar.

cuello derecho

Por el revés, con agujas de 3¹/₄ mm, d en 3 p de la tira delantera derecha.
Cont en p bobo y aum 1 p en cada extremo de la sig vuelta y en cada una de las sig 4 hasta 21 p.
D 1 vuelta, acabando en el otro extremo del cuello.
Cuello
2 vueltas siguientes D12, desl 1, girar d hasta el final.
D 4 vueltas.**
Rep desde ** a ** hasta que el borde corto del cuello ajuste con el lado derecho del escote delantero y la mitad del borde del cuello por detrás.
Cerrar.

confección

Coser la costura de los hombros. Unir los bordes del cuello. Coser el cuello en su lugar. Coser las mangas a las sisas con remates en las marcas cosidas a los puntos cerrados bajo el brazo. Unir y coser las mangas. Coser los botones. Cortar cinta por la mitad y coser una parte al extremo delantero izquierdo, alinear con la abertura vertical en el delantero derecho y coser el resto al borde delantero derecho.

tamaños
Para edades de 3–9 (6–12, 18–24) meses.

materiales
Un ovillo de 50 g de Debbie Bliss Cashmerino Aran en color cáscara de huevo (A) y una cantidad de lana color chocolate (B).
Un par de agujas de 4¹/₂ mm y 5 mm.

muestra
18 p y 24 vueltas miden 10 x 10 cm en punto derecho con agujas de 5 mm.
20 p y 36 vueltas miden 10 x 10 cm en punto bobo con agujas de 5 mm.

abreviaturas
Ver página 27.

gorropompón

método

Con agujas de 4¹/₂ mm y B, montar 56 (64, 72) p.
Vuelta elástico *D1, r1; rep desde * hasta el final.
Esta vuelta forma el elástico.
Cambiar a A.
Trabajar 5 vueltas en elástico.
Cambiar a agujas de 5 mm.
D 4 vueltas.
Aum D2, * c1, d4; rep desde * hasta últimos 2 p, c1, d2. **70 (80, 90) p.**
D 3 vueltas.
Aum D2, * c1, d5; rep desde * hasta últimos 3 p, c1, d3. **84 (96, 108) p.**
D 13 vueltas.
Dis D1, *ppde, d4; rep desde * hasta últimos 5 p, ppde, d3. **70 (80, 90) p.**
D 3 vueltas.
Dis D1, *ppde, d3; rep desde * hasta últimos 4 p, ppde, d2. **56 (64, 72) p.**
D 3 vueltas.
Dis D1, *ppde, d2; rep desde * hasta últimos 3 p, ppde, d1. **42 (48, 54) p.**
D 3 vueltas.
Dis D1, *ppde, d1; rep desde * hasta últimos 2 p, ppde. **28 (32, 36) p.**
D 3 vueltas.
Dis *Ppde; rep desde * hasta el final. **14 (16, 18) p.**
D 1 vuelta.
Dis *Ppde; rep desde * hasta el final. **7 (8, 9) p.**
Cortar hilo, ensartar a través de rest p, tirar y rematar.

confección

Unir costuras. Hacer un pequeño pompón con B (ver pág 41) y coser en lo alto del gorro.

chaquetacon
bordedeencaje

medidas
Para edades de 3–6 (6–9, 9–12, 12-18, 18-24) meses.
medidas reales
Pecho 50 (54, 59, 62, 68) cm.
Largo de hombro 22 (24, 26, 29, 32) cm.
Largo de manga 15 (17, 19, 21, 23) cm.

materiales
3 (4, 4, 5, 6) ovillos de 50 g de Debbie Bliss Cashmerino en rosa pálido.
Agujas de $3^1/_4$ mm.

muestra
26 p y 52 vueltas miden 10 x 10 cm en punto bobo con agujas de $3^1/_4$ mm.

abreviaturas
Ver página 27.

espalda y delanteros

Trabajar de una pieza hasta las sisas.

Con agujas de 3¹/₄ mm, montar 117 (127, 139, 149, 163) p.

Trabajar en p bobo hasta 12 (13, 14, 16, 18) cm desde el principio, acabando con una vuelta en el derecho.

División para espalda y delanteros

Vuelta sig D23 (25, 28, 31, 34), estos p formarán el delantero izquierdo, cerrar 6 para axila izquierda, d hasta 59 (65, 71, 75, 83) p en parte derecha del cuello, estos puntos formarán la espalda, cerrar 6 para sisa derecha, d hasta el final.

Continuar en la última serie de 23 (25, 28, 31, 34) p para delantero derecho, dejar rest 2 grupos de p en espera.

Vuelta sig (en el derecho) D5, ppde, d16 (18, 21, 24, 27).ç

D 3 vueltas.

Vuelta sig D5, ppde, D hasta el final.

Repetir las últimas 4 vueltas hasta 12 (13, 15, 16, 18) p rest.

Cont así hasta que el delantero tenga 22 (24, 26, 29, 32) cm desde el principio, acabar con una vuelta en el revés.

Dejar estos puntos en espera.

Delantero izquierdo

Por el derecho, unir a 23 (25, 28, 31, 34) p dejados en espera para delantero izquierdo, d16 (18, 21, 24, 27), d2jun, d5.

D 3 vueltas.

Repetir las últimas 4 vueltas hasta 12 (13, 15, 16, 18) p rest.

Cont así hasta que el delantero tenga 22 (24, 26, 29, 32) cm desde el principio, acabar con una vuelta en el revés.

Dejar estos puntos en espera.

Espalda

Por el derecho, unir a rest 59 (65, 71, 75, 83) p en aguja auxiliar, d hasta el final.

Cont así hasta que la espalda tenga 22 (24, 26, 29, 32) cm desde el principio, acabar con una vuelta en el revés.

Dejar puntos en espera.

mangas

Con agujas de 3¹/₄ mm, montar 37 (40, 45, 48, 51) p.

D 6 vueltas.

Aum Ddd, d hasta últimos 2 p, ddd, d1.

D 5 (6, 6, 7, 8) vueltas.

Repetir las últimas 6 (7, 7, 8, 9) vueltas 6 (7, 7, 8, 9) veces más , luego aum otra vez.

53 (58, 63, 68, 73) p.

Seguir hasta tener mangas de 12 (14, 16, 18, 20) cm desde el principio.

Marcar los extremos de la última vuelta, luego d 6 vueltas.

Cerrar.

confección

Por el revés, desl 12 (13, 15, 16, 18) p del delantero izquierdo en una aguja de 3 1/4mm, luego, por el revés, desl 12 (13, 15, 16, 18) p del delantero derecho en la misma aguja, la cual estará orientada hacia la sisa derecha.

Con el derecho del delantero y la espalda juntos, cerrar hombros trabajando un p del delantero derecho y uno de la espalda juntos cada vez. Cuando todos los p del delantero derecho hayan sido cerrados, cont cerrando p de la espalda hasta 12 (13, 15, 16, 18) p rest en la aguja de la izquierda y 1 p rest en la aguja derecha, luego cerrar delantero izquierdo y espalda juntos como antes.
Unir costuras de las mangas, dejando aberturas sobre las marcas.
Coser mangas a sisas, uniendo los p de las mangas a los puntos bajo el brazo.

ribetes

Con agujas de 3¹/₄ mm, montar 5 p.
Vuelta 1 (por el derecho) D1, hsa, d2jun, hsa d2.
Vueltas 2, 4, 6 y 8 Tejer.
Vuelta 3 D2, hsa, d2jun, hsa, d2.
Vuelta 5 D3, hsa, d2jun, hsa, d2.
Vuelta 7 D4, hsa, d2jun, hsa, d2.
Vuelta 9 D5, hsa, d2jun, hsa, d2.
Vuelta 10 Cerrar 5 p, d hasta el final. **5 p.**
Estas 10 vueltas forman el encaje del ribete y se repiten todas las veces.
Ribete del puño (hacer 2)
Hacer repeticiones de las 10 vueltas según patrón hasta encajar puños en la parte baja de las mangas; acabar con una vuelta 10. Cerrar rest 5 p.
Acabar delantero y cuello
Hacer repeticiones de las 10 vueltas según patrón subiendo por el delantero izquierdo, rodeando el cuello y bajando por el delantero derecho; acabar con una vuelta 10. Cerrar rest 5 p.
Coser el ribete al delantero, al borde del cuello y a los extremos de las mangas.

mantacontrenzas

medidas
Largo 80 cm
Ancho 50 cm

materiales
7 (3, 3, 4, 4) ovillos de 50 g de Debbie Bliss Cashmerino Double Knitting en azul pálido.
Agujas circulares de $3^1/_4$ mm y $3^3/_4$ mm
Aguja de trenza auxiliar

muestra
22 p y 30 vueltas miden 10 x 10 cm en punto de media con agujas de 4 mm.

abreviaturas
Ver página 27.

confección

Con agujas de $3^1/_4$ mm, montar 142 p.
D 8 vueltas.
Aum D6, * r4, d4, c1, d2, c1, d4; rep desde * hasta últimos 10 p, r4, d6. **160 p.**
Cambiar a la aguja circular de 4 mm.
Vuelta 1 (derecho) D4, r2, d4 * r2, d8, r2, d4; rep desde * hasta últimos 6 p, r2, d4.
Vuelta 2 D6, * r4, d2, r4, d6; rep desde * hasta últimos 10 p, r4, d6.
Vueltas 3 a 6 Rep 1 and 2 vueltas dos veces más.
Vuelta 7 D4, r2, d4, *r2, a8b, r2, d4; rep desde * hasta últimos 6 p, r2, d4.
Vuelta 8 D6, *r4, d6, r4, d2; rep desde * hasta últimos 10 p, r4, d6.
Vuelta 9 D4, r2, d4, *r2, d8, r2, d4; rep desde * hasta últimos 6 p, r2, d4.
Vueltas 10 a 18 Rep vueltas 8 y 9 cuatro veces, luego la vuelta 8 otra vez.
Vuelta 19 D4, r2, d4, *r2, a8b, r2, d4; rep desde * hasta últimos 6 p, r2, d4.
Vuelta 20 D6, * r4, d2, r4, d6; rep desde * hasta últimos 10 p, r4, d6.
Vuelta 21 D4, r2, d4, *r2, d8, r2, d4; rep desde * hasta últimos 6 p, r2, d4.
Vueltas 22 a 24 Rep 20 y 21 una vez, luego la vuelta 20 otra vez.
Estas 24 vueltas forman la muestra.
Cont en patrón hasta que la manta mida aprox. 78 cm desde el principio, acabando con una vuelta 23.
Dis D6, * r4, d3, d2jun, d2, d2jun, d3; rep desde * hasta últimos 10 p, r4, d6. **142 p.**
Cambiar a la aguja circular de $3^1/_4$ mm.
D 8 vueltas.
Cerrar.

medidas

Para edades de 3–6 (6–9, 9–12, 12-18, 18-24) meses.

medidas reales

Pecho 47 (52, 56, 61, 66) cm.

Largo de hombro 22 (24, 26, 28, 32) cm.

Largo de manga 13 (15, 17, 19, 22) cm.

materiales

2 (3, 3, 3, 4) ovillos de 50 g de Debbie Bliss Baby Cashmerino en azul verdoso.

1 ovillo de 50 g de estos colores, azul pálido (A), índigo (B), lima (C), burdeos (D) y crudo (E).

Agujas de $2^3/_4$, 3 y $3^1/_4$ mm.

Agujas circulares de $2^3/_4$, 3 y $3^1/_4$ mm.

6 (6, 6, 7, 7) botones.

muestra

25 p y 34 vueltas miden 10 x 10 cm en punto de media con agujas de $3^1/_4$ mm.

abreviaturas

Ver página 27.

chaquetaestilo
fairisle

espalda

Con agujas de 3 mm y A, montar 61 (67, 73, 79, 85) p.

Vuelta 1 elástico D1, * r1, d1; rep desde * hasta el final.

Cambiar a CP.

Vuelta 2 elástico, R1, *d1, r1; rep desde * hasta el final.

Repetir las últimas 2 vueltas en elastico 2 (2, 3, 3, 4) veces.

Cambiar a agujas de $3^1/_4$ mm.

Emp con una vuelta d, trabajar en punto de media hasta que la espalda tenga 12 (13, 14, 15, 17) cm desde el principio, acabar con una vuelta d.

Sisas

Cerrar 4 p al principio de las siguientes 2 vueltas. **53 (59, 65, 71, 77) p.**

Cont así hasta que la espalda tenga 14 (16, 18, 20, 24) cm desde el principio, acabar con una vuelta r.

Canesú

Vuelta sig (del derecho), D22 (24, 26, 28, 30), girar y trabajar en estos p.

Cerrar 3 (4, 5, 6, 7) p al principio de la siguiente vuelta y 2 p al empezar las siguientes 3 vueltas alternas.

Dis 1 p en las vueltas alternas sig hasta 6 (7, 8, 9, 10) sts rest.

Cont así hasta que la espalda tenga 22 (24, 26, 28, 32) cm desde el principio, acabar en el borde de la sisa.

Hombro

Cerrar.

Por el derecho, desl 9 (11, 13, 15, 17) p en el centro y poner en espera, unir a rest p, d hasta el final.

R 1 vuelta.

Completar este primer lado.

delantero izquierdo

Con agujas de 3 mm y A, montar 29 (33, 35, 37, 41) p.

Vuelta 1 elástico, R1, *d1, r1; rep desde * hasta el final.

Cambiar a CP.

Vuelta 2 canalé D1, * r1, d1; rep desde * hasta el final.

Repetir las últimas 2 vueltas en elástico 2 (2, 3, 3, 4) veces.

Cambiar a agujas de 3^1/4 mm.

Emp con una vuelta d, trabajar en punto de media hasta que el delantero tenga 12 (13, 14, 15, 17) cm desde el principio, acabar con una vuelta r.

Sisa

Cerrar 4 p al principio de la sig vuelta. **25 (29, 31, 33, 37) p.**

Cont hasta que el delantero tenga 14 (16, 18, 20, 24) cm desde el principio, acabar con una vuelta r.

Canesú

Vuelta sig (del derecho), D22 (24, 26, 28, 30), girar y trabajar en estos p, dejar rest 3 (5, 5, 5, 7) p en espera.

Cerrar 3 (4, 5, 6, 7) p al principio de la siguiente vuelta y 2 p al empezar las siguientes 3 vueltas alternas.

Dis 1 p al empezar las sig vueltas alt hasta 6 (7, 8, 9, 10) p rest.

Cont así hasta que el delantero tenga 22 (24, 26, 28, 32) cm desde el principio, acabar en el borde de la sisa.

Hombro

Cerrar.

delantero derecho

Con agujas de 3 mm y A, montar 29 (33, 35, 37, 41) p.

Vuelta 1 elástico, R1, *d1, r1; rep desde * hasta el final.

Cambiar a CP.

Vuelta 2 elástico D1, * r1, d1; rep desde * hasta el final.

Repetir las últimas 2 vueltas en elástico 2 (2, 3, 3, 4) veces.

Cambiar a agujas de 3^1/4 mm.

Emp con una vuelta d, trabajar en punto de media hasta que el delantero tenga 12 (13, 14, 15, 17) cm desde el principio, acabar con una vuelta d.

Sisa

Cerrar 4 p al principio de la sig vuelta. **25 (29, 31, 33, 37) p.**

Cont hasta que el delantero tenga 14 (16, 18, 20, 24) cm desde el principio, acabar con una vuelta r.

Canesú

Vuelta sig (del derecho) D3 (5, 5, 5, 7) p, dejar estos p en espera, d hasta el final. **22 (24, 26, 28, 30) p.**

R 1 vuelta.

Cerrar 3 (4, 5, 6, 7) p al principio de la siguiente vuelta y 2 p al empezar las siguientes 3 vueltas alt.

Dis 1 p al empezar las sig vueltas alt hasta 6 (7, 8, 9, 10) p rest.

Cont así hasta que el delantero tenga 22 (24, 26, 28, 32) cm desde el principio, acabar en el borde de la sisa.

Hombro

Cerrar.

gráfico

Al trabajar canesú desde las vueltas 4 a 18 del gráfico, trabajar 1 p en el borde al principio del derecho y al final de las vueltas en el revés, rep la vuelta 12 del patrón y trabajar 2 p en el borde al principio del revés y final de las vueltas del derecho. Hebras y tejidos de lana no se ven al revés de la labor.

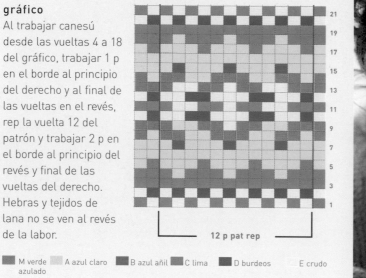

12 p pat rep

- ■ M verde azulado
- ▨ A azul claro
- ■ B azul añil
- ▧ C lima
- ■ D burdeos
- □ E crudo

mangas

Con agujas de 3 mm y B, montar 32 (34, 38, 42, 46) p.
Vuelta elástico *D1, r1; rep desde * hasta el final.
Esta vuelta forma el elástico.
Cambiar a CP.
Repetir las vueltas en elástico 5 (2, 7, 7, 9) veces.
Cambiar a agujas de 3¹/₄ mm.
Emp con una vuelta d, trabajar en p de media y aum 1 p en cada extremo de las siguientes (3, 5, 5, 3) vueltas y cada 4 vueltas hasta 50 (54, 58, 66, 74) p.
Cont hasta que las mangas midan 13 (15, 17, 19, 22) cm desde el principio, acabar con una vuelta r.
Marcar los extremos de la última vuelta con un hilo de color.
Trabajar 4 vueltas.
Cerrar.

canesú

Coser los hombros.
Por el derecho, con una aguja circular de 3¹/₄ mm y CP, desl 3 (5, 5, 5, 7) p desde delantero derecho a aguja en espera, recoger y d9 (10, 11, 12, 13) p desde p cerrados, 13 (14, 15, 16, 17) p al hombro, 13 (14, 15, 16, 17) p a lo largo de los extremos desde el hombro hasta empezar p cerrados, 9 (10, 11, 12, 13) p desde p cerrados, d9 (11, 13, 15, 17) p desde centro espalda en espera, recoger y d9 (10, 11, 12, 13) p desde p cerrados, 13 (14, 15, 16, 17) p al hombro, 13 (14, 15, 16, 17) p en las vueltas finales desde hombro hasta principio de p cerrados, 9 (10, 11, 12, 13) p desde p cerrados, luego d3 (5, 5, 5, 7) p desde delantero izquierdo en espera.. 103 (117, 127, 137, 151) p.
Vuelta sig (del revés) R hasta el final.

Vuelta sig (vuelta 1 del gráfico) (del derecho) D1B, *1E, 1B; rep desde * hasta el final.

Vuelta sig (vuelta 2 del gráfico) R1E, *1D, 1E; rep desde * hasta el final.

Dis (vuelta 3 del gráfico) (del derecho) Con CP, d5 (7, 3, 3, 7), [d4 (4, 6, 8, 7), d2jun] 15 (17, 15, 13, 15) veces, d2jun, d6 (6, 2, 2, 7). 87 (99, 111, 123, 135) p.

Trabajar vueltas 4 a 10 según gráfico.

Cambiar a la aguja circular de 3 mm.

Trabajar vueltas 11 a 18 según gráfico.

Dis (vuelta 19 del gráfico) (del derecho) Con CP, d3, *d2jun, d5, d2jun, d3; rep desde * hasta el final. 73 (83, 93, 103, 113) p.

Trabajar vueltas 2 y luego 1 según el gráfico como antes.

Cont sólo en CP.

R 1 vuelta.

D 1 vuelta.

Dis (del revés) R3, *r2jun, r3; rep desde * hasta el final. 59 (67, 75, 83, 91) p.

D 1 vuelta.

R 1 vuelta.

Cambiar a agujas de 2³/₄ mm.

Vuelta 1 elástico D1, * r1, d1; rep desde * hasta el final.

Vuelta 2 elástico, R1, *d1, r1; rep desde * hasta el final.

Vuelta 3 elástico D1, * r1, d1; rep desde * hasta el final.

Cambiar a A.

Vuelta 4 elástico, R1, *d1, r1; rep desde * hasta el final.

Cerrar en elástico.

tira de los botones

Por el derecho y con agujas de 2³/₄ mm y CP, recoger y d55 (61, 67, 75, 91) p por el borde delantero izquierdo.

Trabajar 3 vueltas en elástico, como antes por detrás.

Cambiar a B.

Canesú 1 vuelta.

Cerrar en elástico.

tira de los ojales

Por el derecho y con agujas de 2³/₄ mm y CP, recoger y d55 (61, 67, 75, 91) p por el borde delantero derecho.

Trabajar 1 vuelta en elástico, como antes por detrás.

Vuelta ojales (por el derecho) elástico 2 (2, 2, 3, 2), [elástico, 2jun, hsa, canalé 8 (9, 10, 9, 12) p] 5 (5, 5, 6, 6) veces, elástico 2jun, hsa, elástico 1 (2, 3, 4, 3).

Canalé 1 vuelta.

Cambiar a B.

Canesú 1 vuelta.

Cerrar en elástico.

confección

Coser las mangas a las sisas con remates en las marcas cosidas a los puntos bajo el brazo. Unir y coser las mangas. Coser los botones.

chaqueta
concapucha

chaquetaconcapucha ● ● ● ● ● ● ● ● ● ● ▶

medidas
Para edades de 3–6 (6–9, 9–12, 12-18, 18-24) meses.
medidas reales
Pecho 50 (54, 59, 63, 70) cm.
Largo de hombro 27 (28, 32, 35, 39) cm.
Largo de manga con el borde vuelto 14 (16, 18, 21, 23) cm.

materiales
4 (5, 6, 6, 7) ovillos de 50 g de Debbie Bliss Cashmerino Aran en verde manzana.
Aguja circular y un par de agujas de 5 mm.
Un botón grande.

muestra
18 p y 24 vueltas miden 10 x 10 cm en punto derecho con agujas de 5 mm.

abreviaturas
Ver página 27.

espalda

Con agujas de 5 mm, montar 57 (61, 67, 73, 81) p.
Empezar con una vuelta d, trabajar en p media.
Trabajar 6 vueltas.
Dis D4, ppde, d hasta últimos 6 p, d2jun, d4.
Trabajar 5 vueltas.
Rep las últimas 6 vueltas 3 (3, 4, 5, 6) veces más y la dis otra vez. **47 (51, 55, 59, 65) p.**
Cont hasta que la espalda tenga 14 (15, 18, 20, 23) cm desde el principio, acabar con una vuelta r.
Sisas
Cerrar 4 (4, 5, 5, 6) p al principio de las siguientes 2 vueltas.
Dejar las rest 39 (43, 45, 49, 53) p a la espera.

delantero izquierdo

Con agujas de 5 mm, montar 31 (33, 36, 39, 43) p.
Vuelta sig D hasta el final.
Vuelta sig D1, d hasta el final.
Estas 2 vueltas enlazan el p de arroz con el p bobo en los bordes.
Trabajar 4 vueltas.
Dis D4, ppde, d hasta el final.
Trabajar 5 vueltas.
Rep las últimas 6 vueltas 3 (3, 4, 5, 6) veces más y la dis otra vez. **26 (28, 30, 32, 35) p.**
Cont así hasta que el delantero tenga 14 (15, 18, 20, 23) cm desde el principio, acabar con una vuelta en el revés.
Sisa
Cerrar 4 (4, 5, 5, 6) p al principio de la siguiente vuelta.
Trabajar 1 vuelta.
Dejar las rest 22 (24, 25, 27, 29) p a la espera.

delantero derecho

Con agujas de 5 mm, montar 31 (33, 36, 39, 43) p.
Vuelta sig D hasta el final.
Vuelta sig R hasta el último p, d1
Estas 2 vueltas enlazan el p de arroz con el p bobo en los bordes.
Trabajar 4 vueltas.
Dis D hasta últimos 6 p, d2jun, d4.
Trabajar 5 vueltas.
Repetir las últimas 6 vueltas 3 (3, 4, 5, 6) veces más y la dis otra vez. **26 (28, 30, 32, 35) p.**
Cont así hasta que el delantero tenga 14 (15, 18, 20, 23) cm desde el principio, acabar con una vuelta en el derecho.
Sisa
Cerrar 4 (4, 5, 5, 6) p al principio de la siguiente vuelta.
Dejar las rest 22 (24, 25, 27, 29) p a la espera. No cortar el hilo.

mangas

Con agujas de 5 mm, montar 30 (32, 34, 36, 38) p.
Empezar con una vuelta d, trabajar en p media.
Trabajar 8 (8, 8, 10, 10) vueltas.
Aum D3, c1, d hasta últimos 3 p, c1, d3.
Seguir con 3 vueltas en p de media.
Rep las últimas 4 vueltas 5 (6, 7, 8, 9) veces y el aum otra vez. **44 (48, 52, 56, 60) p.**
Cont hasta que las mangas midan 15 (17, 19, 22, 24) cm desde el principio, acabar con una vuelta r.
Coronilla
Cerrar 4 (4, 5, 5, 6) p al principio de las siguientes 2 vueltas.
Dejar rest 36 (40, 42, 46, 48) p en espera.

canesú

Por el derecho y con una aguja circular de 5 mm, trabajar en el delantero derecho, las mangas y el delantero izquierdo como sigue: d21 (23, 24, 26, 28) p desde delantero derecho, d último p jun con primer p de manga, d34 (38, 40, 44, 46), d último p jun con primer p de espalda, d37 (41, 43, 47, 51), d último p con primer p de manga, d34 (38, 40, 44, 46), d último p jun con primer p de delantero izquierdo, d21 (23, 24, 26, 28). **151 (167, 175, 191, 203) p.**
Trabajar hacia detrás y hacia delante en vueltas.
Vuelta sig D1, r hasta el último p, d1
Vuelta sig D18 (20, 21, 23, 25), d2jun, d3, ppde d28 (32, 34, 38, 40), d2jun, d3, ppde, d31 (35, 37, 41, 45), d2jun, d3, ppde, d28 (32, 34, 38, 40), d2jun, d3, ppde, d18 (20, 21, 23, 25). **143 (159, 167, 183, 195) p.**
Vuelta sig D1, r hasta el último p, d1
Vuelta sig D17 (19, 20, 22, 24), d2jun, d3, ppde, d26 (30, 32, 36, 38), d2jun, d3, ppde, d29 (33, 35, 39, 43), d2jun, d3, ppde, d26 (30, 32, 36, 38), d2jun, d3, ppde, d17 (19, 20, 22, 24). **135 (151, 159, 175, 187) p.**
Vuelta sig D1, r hasta el último p, d1
Vuelta sig D16 (18, 19, 21, 23), d2jun, d3, ppde, d24 (28, 30, 34, 36), d2jun, d3, ppde, d27 (31, 33, 37, 41), d2jun, d3, ppde, d24 (28, 30, 34, 36), d2jun, d3, ppde, d16 (18, 19, 21, 23). **127 (143, 151, 167, 179) p.**
Vuelta sig D1, r hasta el último p, d1
Vuelta sig D15 (17, 18, 20, 22), d2jun, d3, ppde, d22 (26, 28, 32, 34), d2jun, d3, ppde, d25 (29, 31, 35, 39), d2jun, d3, ppde, d22 (26, 28, 32, 34), d2jun, d3, ppde, d15 (17, 18, 20, 22). **119 (135, 143, 159, 171) p.**
Cont de este modo dis 8 p en cada vuelta del derecho hasta 71 (79, 87, 95, 99) p rest, acabando con una vuelta en el revés.

Vuelta ojales D2, d2jun, 2hsa, ppde, trabajar hasta el final, dis como antes.

Vuelta sig Trabajar hasta el final, trabajando 2 veces en 2pas.

Trabajar 4 (4, 6, 6, 6) vueltas más, dis en la sig vuelta y 1 (1, 2, 2, 2) en las vueltas del derecho sig como antes.

47 (55, 55, 63, 67) p.

Capucha

Vuelta sig (del derecho) D9 (10, 10, 12, 12) p, cerrar sig 29 (35, 35, 39, 43) p, d hasta el final.

Vuelta sig D1, r8 (9, 9, 11, 11), montar 56 (60, 60, 66, 72) p, r8 (9, 9, 11, 11), d1. **74 (80, 80, 90, 96) p.**

Vuelta sig D hasta el final.

Vuelta sig D1, r hasta el último p, d1.

Repetir las últimas 2 vueltas 18 (19, 21, 22, 23) veces más.

Coronilla

Vuelta sig D34 (37, 37, 42, 45), d2jun, d2, ppde, d34 (37, 37, 42, 45).

Vuelta sig D1, r32 (35, 35, 40, 43), r2jun prbu, r2, r2jun, r32 (35, 35, 40, 43), d1.

Vuelta sig D32 (35, 35, 40, 43), d2jun, d2, ppde, d32 (35, 35, 40, 43).

Vuelta sig D1, r30 (33, 33, 38, 41), r2jun prbu, r2, r2jun, r30 (33, 33, 38, 41), d1.

Vuelta sig D30 (33, 33, 38, 41), d2jun, d2, ppde, d30 (33, 33, 38, 41).

Vuelta sig D1, r28 (31, 31, 36, 39), r2jun prbu, r2, r2jun, r28 (31, 31, 36, 39), d1.

Vuelta sig D28 (31, 31, 36, 39), d2jun, d2, ppde, d28 (31, 31, 36, 39).

Vuelta sig D1, r26 (29, 29, 34, 37), r2jun prbu, r2, r2jun, r26 (29, 29, 34, 37), d1.

Cerrar.

confección

Unir y coser las mangas. Unir sisas. Doblar el borde de la capucha por la mitad y coser. Con cuidado, coser el borde de la capucha al borde del cuello por detrás. Coser el botón.

jerseysinmangas

medidas

Para edades de 3–6 (6–9, 9–12, 12-18, 18-24) meses.

medidas reales

Pecho 45 (48, 52, 56, 60) cm.

Largo de hombro 22 (24, 26, 30, 32) cm.

materiales

2 (2, 2, 3, 3) ovillos de 50 g de Debbie Bliss Baby Cashmerino en índigo.

Agujas de 3 mm y $3^1/_4$ mm.

Aguja circular de 3 mm.

Aguja de trenza auxiliar.

2 botones pequeños.

muestra

32 p y 34 vueltas miden 10 x 10 cm de la muestra con agujas de $3^1/_4$ mm.

abreviaturas

Ver página 27.

espalda

****Con agujas de 3 1/4 mm, montar 74 (80, 86, 92, 98) p.

Vuelta 1 (del derecho) [D2, r1] 1 (2, 3, 4, 5) veces, [d4, r1, d2, r1] 8 veces, d4, [r1, d2] 1 (2, 3, 4, 5) veces.

Vuelta 2 [R2, d1] 1 (2, 3, 4, 5) veces, [r4, d1, r2, d1] 8 veces, r4, [d1, r2] 1 (2, 3, 4, 5) veces.

Vuelta 3 [D2, r1] 1 (2, 3, 4, 5) veces, [a4b, r1, d2, r1] 8 veces, a4b, [r1, d2] 1 (2, 3, 4, 5) veces.

Vuelta 4 Como vuelta 2.

Estas 4 vueltas forman la muestra de trenza y elástico y se van repitiendo.

Cont según patrón hasta 12 (13, 14, 17, 19) cm desde el principio, acabando con una vuelta en el revés.

Sisas

Cerrar 4 (4, 5, 5, 6) p al principio de las siguientes 2 vueltas. **66 (72, 76, 82, 86) p.**

Dis 1 p en cada extremo de la Vuelta sig y las 5 (5, 7, 7, 7) sig vueltas alt. **54 (60, 60, 66, 70) p.****

Cont según patrón hasta que la espalda tenga 17 (19, 21, 24, 26) cm desde el principio, acabar con una vuelta en el revés.

División para la abertura del cuello

Vuelta sig Patrón 24 (27, 27, 30, 32), gira y monta 5 p.

Cont con estos 29 (32, 32, 35, 37) p sólo para el primer lado del cuello, deja rest p en una aguja auxiliar.

Vuelta sig (derecho) D1, r3, d1, patrón hasta el final.

Vuelta sig Patrón hasta últimos 5 p, r1, d3, r1.

Rep estas 2 vueltas hasta que la espalda tenga 21 (23, 25, 29, 31) cm desde el principio, acabar con una vuelta en el revés.

Parte posterior del cuello

Sig 2 vueltas Patrón hasta últimos 10 p, deslizar estos puntos a la espera, girar y patrón hasta el final.

Sig 2 vueltas Patrón hasta últimos 5 p, deslizar estos puntos a la espera, girar y patrón hasta el final. **14 (17, 17, 20, 22) p.**

Cerrar rest p hombro, trabajar 2 p jun en el centro de cada trenza.

Por el derecho, unir a 30 (33, 33, 36, 38) p en aguja auxiliar, patrón hasta el final.

Patrón 7 vueltas.

Vuelta ojales (del derecho) R1, d1, hsa, d2jun, patrón hasta el final.

Cont según patrón hasta que la espalda tenga 21 (23, 25, 29, 31) cm desde el principio, acabar con una vuelta en el revés.

Parte posterior del cuello

Vuelta sig (derecho) Patrón 11 y desl estos p a la espera, patrón hasta el final.

Patrón 1 vuelta.

Vuelta sig Patrón 5 y desl estos p a la misma espera, patrón hasta el final.

Patrón 1 vuelta. **14 (17, 17, 20, 22) p.**

Cerrar rest p hombro, trabajar 2 p jun en el centro de cada trenza.

delantero

Trabajar como hasta ahora desde ** a **.

Cont según patrón hasta que el delantero tenga 16 (18, 20, 23, 25) cm desde el principio, acabar con una vuelta en el revés.

Cuello

Vuelta sig Patrón 21 (24, 24, 27, 29) p, girar y trabajar en estos p sólo por el primer lado del delantero del cuello.

Vuelta sig (del revés) Cerrar 2 p, patrón hasta el final.

Patrón 1 vuelta.

Rep estas 2 vueltas una vez más.

Vuelta sig (del revés) R1, r2jun, patrón hasta el final.

Vuelta sig Patrón hasta últimos 2 p, d2.

Rep estas 2 vueltas una vez más. **14 (17, 17, 20, 22) p.**

Cont hasta que el delantero mida como la parte trasera de los hombros, acabar con vuelta en el revés.

Cerrar, trabajar 2 p jun en el centro de cada trenza.

Por el derecho, desl en el centro 12 p en espera, unir a rest p, patrón hasta el final.

Patrón 1 vuelta.

Vuelta sig Cerrar 2 p, patrón hasta el final.

Patrón 1 vuelta.

Rep estas 2 vueltas una vez más.

Vuelta sig D1, ppde, patrón hasta el final.

Vuelta sig Patrón hasta últimos 2 p, r2.

Rep estas 2 vueltas una vez más. **14 (17, 17, 20, 22) p.**

Trabajar hasta que el delantero sea como la parte trasera de los hombros, acabar con vuelta en el derecho.

tira del cuello

Cerrar, trabajar 2 p jun en el centro de cada trenza.

Coser la costura de los hombros.

Por el derecho y con una aguja circular de 3 mm, trabajar en 16 p a la izquierda detrás del cuello como sigue: [r1, patrón 4, r1, d2] dos veces, luego recoger 2 p en el borde trasero del cuello, y d16 (19, 19, 22, 22) p bajar delantero izquierdo de cuello, trabajar [r1, d2, r1, d4, r1, d2, r1] 12 p desde cuello delantero en espera, recoger y k16 (19, 19, 22, 22) subiendo por el delantero derecho, 2 p desde el borde trasero, luego trabajar 15 p en cuello trasero derecho en espera como sigue: d2, r1, patrón 4, r1, d2, r1, d3, r1.

79 (85, 85, 91, 91) p.

Vuelta 1 (del revés) D1, r3, d1, r2, d1, r4, [d1, r2] 8 (9, 9, 10, 10) veces, d1, r4, d1, [r2, d1] 8 (9, 9, 10, 10) veces, r4, d1, r2, d1, r4, d1.

Vuelta ojales R1, d1, hsa, d2jun, d1, r1, d2, r1, a4b, [r1, d2] 8 (9, 9, 10, 10) veces, r1, a4b, r1, [d2, r1] 8 (9, 9, 10, 11) veces, a4b, r1, d2, r1, d3, r1.

Vuelta 3 Como vuelta 1.

Vuelta 4 [R1, d4, r1, d2] dos veces, [r1, d2] 7 (8, 8, 9, 9) veces, r1, d4, r1, [d2, r1] 8 (9, 9, 10, 10) veces, d4, r1, d2, r1, d3, r1.

Cerrar en patrón, trabajando [r2jun] dos veces en cada trenza mientras se cierra.

tira de los hombros

Por el derecho y con agujas de 3 mm, recoger y d62 (68, 74, 86, 92) p alrededor de los brazos.

Vuelta 1 (del revés) [R2, d1] 3 (2, 5, 7, 8) veces, [r4, d1, r2, d1] 5 veces, r4, [d1, r4] 3 (2, 5, 7, 8) veces.

Vuelta 2 [D2, r1] 3 (4, 5, 7, 8) veces, [d4, r1, d2, r1] 5 veces, d4, [r1, d2] 3 (4, 5, 7, 8) veces.

Vuelta 3 Como vuelta 1.

Vuelta 4 [D2, r1] 3 (4, 5, 7, 8) veces, [a4b, r1, d2, r1] 5 veces, a4b, [r1, d2] 3 (4, 3, 7, 8) veces.

Cerrar en patrón, trabajando [r2jun] dos veces en cada trenza mientras se cierra.

confección

Unir y coser las tiras de los brazos. Montar p en la abertura posterior detrás de la tira de los ojales.

Coser los botones.

medidas
Para edades de 0–3 (3-6, 6–9, 9–12, 12–24) meses.

materiales
Un ovillo de 50 g de Debbie Bliss Baby Cashmerino en color lavanda (CP) y otro en color uva (CC).
Juego de cuatro agujas de doble punta de 3³/₄ mm and 3¹/₄ mm.

muestra
25 p y 34 vueltas miden 10 x 10 cm en punto derecho con agujas de 3¹/₄ mm.

abreviaturas
Ver página 27.

gorrito de elfo

confección

Con un juego de cuatro agujas de doble punta de 3³/₄mm and CP, montar 88 (96, 104, 112, 120) p.
Disponer p en 3 de las 4 agujas y sitúa una marca después del último p para indicar el final de las vueltas de la gorra.
Procurando no retorcer el borde, trabajar en vueltas en d1, r1 canalé para 2 (2, 3, 3, 3) cm.
Cambiar a cuatro agujas de 3¹/₄ mm y CC y cont trabajando 1cm en vueltas de canalé.
Trabajando las vueltas de la gorra en p de media (d cada vuelta) y en rayas según patrón de 2 vueltas CC y 2 vueltas CP, cont hasta que las medidas sean 12 (12, 14, 14, 16) cm desde el principio.

Coronilla
Dis vuelta [D20 (22, 24, 26, 28), d2jun] 4 veces. **84 (92, 100, 108, 116) p.**
Trabajar 2 vueltas.
Dis vuelta [D19 (21, 23, 25, 27), d2jun] 4 veces. **80 (88, 96, 104, 112) p.**
Trabajar 2 vueltas.
Dis vuelta [D18 (20, 22, 24, 26), d2jun] 4 veces. **76 (84, 92, 100, 108) p.**
Trabajar 2 vueltas.
Cont así y dis 4 p como antes en sig y cada tercera vuelta hasta 40 (44, 48, 52, 56) p rest.
Trabajar 1 vuelta.
Cont dis 4 p como antes en sig vuelta y en cada vuelta alt hasta 8 p rest.
Dis [D2jun] 4 veces. **4 p.**
Cortar hilo, ensartar a través de rest p, tirar y rematar.
Hacer un pompón en CP y coser en lo alto del gorro.

tamaños
Para edades de 3–6 (6–12, 12–18) meses.

materiales
Un ovillo de 50 g de Debbie Bliss Baby Cashmerino en color principal (CP) y otro en color a contraste (CC).
Juego de cuatro agujas de doble punta de $3^{1}/_{4}$ mm.

muestra
25 p y 34 vueltas miden 10 x 10 cm en punto derecho con agujas de $3^{1}/_{4}$ mm.

abreviaturas
Ver página 27.

calcetines
bicolor

confección

Con agujas de $3^{1}/_{4}$ mm y CC, montar 32 (36, 40) p.
Disponer estos p en 3 agujas y cont en vueltas.
Vuelta canalé *D1, r1; rep desde * hasta el final.
Canalé 3 (5, 7) vueltas.
Cambiar a CP.
Seguir en vueltas de d , para hacer p de media.
D 2 (2, 4) vueltas.
Dis D5, d2jun, d hasta últimos 7 p, ppde, d5. **30 (34, 38) p.**
D 3 (5, 7) vueltas.
Dis D4, d2jun, d hasta últimos 6 p, ppde, d4. **28 (32, 36) p.**
D 3 (5, 7) vueltas.
Dis D3, d2jun, d5 (6, 7), d2jun, [d5 (6, 7), ppde] dos veces, d2 (3, 4). **24 (28, 32) p.**
Cerrar CP.
Divide p en 3 agujas como sigue: deslizar primeros 7 7 (8, 9) p en primera aguja, sig 5 (6, 7) p en segunda aguja y sig 5 (6, 7) p en tercera aguja, luego deslizar últimos 7 (8, 9) p en el otro extremo de la primera aguja.

Talón

Por el derecho, unir CC a 14 (16, 18) p en primera aguja.

Cont las vueltas en p de media en estos 14 (16, 18) p sólo.

Empezar con una vuelta d, trabajar 10 vueltas en p media.

Vuelta sig D9 (11, 13), ppde, girar.

Vuelta sig Desl 1, r4 (6, 8), r2jun, girar.

Vuelta sig Desl 1, d4 (6, 8), ppde, girar.

Vuelta sig Desl 1, r4 (6, 8), r2jun, girar.

Rep estas 2 vueltas una vez más. **6 (8, 10) p.**

Cortar el hilo.

De nuevo p en 3 agujas como sigue: desl primeros 3 (4, 5) p del talón en un imperdible, situar una marca para indicar el principio de la vuelta. Unir CP a rest p, con primera aguja d3 (4, 5), recoger y d8 p en la cara del talón, con segunda aguja d10 (12, 14), con tercera aguja recoger y d8 p en la otra cara del talón, d3 (4, 5) desde el imperdible. **32 (36, 40) p.**

Cont las vueltas.

D 1 vuelta.

Dis D9 (10, 11), d2jun, d10 (12, 14), d2jun prbu, d9 (10, 11). **30 (34, 38) p.**

D 1 vuelta.

Dis D8 (9, 10), d2jun, d10 (12, 14), d2jun prbu, d8 (9, 10). **28 (32, 36) p.**

D 1 vuelta.

Dis D7 (8, 9), d2jun, d10 (12, 14), d2jun prbu, d7 (8, 9). **26 (30, 34) p.**

D 1 vuelta.

Dis D6 (7, 8), d2jun, d10 (12, 14), d2jun prbu, d6 (7, 8). **24 (28, 32) p.**

Trabajar 11 (13, 17) vueltas.

Dedos

Dis [D2jun prbu, d4 (5, 6)] 4 veces. **20 (24, 28) p.**

D 1 vuelta.

Dis [D2jun prbu, d3 (4, 5)] 4 veces. **16 (20, 24) p.**

D 1 vuelta.

Cambiar a CC.

Dis [D2jun prbu, d2 (3, 4)] 4 veces. **12 (16: 20) p.**

D 1 vuelta.

Sólo tamaños segundo y tercero

Dis [D2jun prbu, d- (2, 3)] 4 veces. **– (12, 16) p.**

Sólo tamaño tercero

D 1 vuelta.

Dis [D2jun prbu, d-(-, 2)] 4 times. **– (-, 12) p.**

D 1 vuelta.

Todos los tamaños

Dis [D2jun prbu] 6 veces.

Cortar hilo, ensartar a través de rest 6 p, tirar y rematar.

chaquetacon margaritas

medidas
Para edades de 0-3 (3–6, 6–9, 9–12, 12-18, 18-24) meses.

medidas reales
Pecho 49 (53, 57, 61, 65, 69) cm.
Largo de hombro 21 (24, 26, 28, 32, 36) cm.
Largo de manga 13 (15, 17, 19, 22, 24) cm.

materiales
5 (5, 6, 6, 7, 8) ovillos de 50 g de Debbie Bliss Cotton Double Knitting en verde pálido.
Lana para bordar a contraste para los adornos.
Un par de agujas de $3^1/_4$ mm y 4 mm.
5 (6, 6, 6, 7, 7) botones.

muestra
20 p y 32 vueltas miden 10 x 10 cm en punto de arroz con agujas de 4 mm.

abreviaturas
Ver página 27.

espalda

Con agujas de 3¹/₄ mm, montar 51 (55, 59, 63, 67, 71) p.

D 5 vueltas.

Cambiar a agujas de 4 mm.

Vuelta p arroz *R1, d1; rep desde * hasta último p, r1.

Esta vuelta forma el p arroz y se repite.

Trabajar 3 vueltas más.

Vuelta ojete P arroz p 1 (3, 5, 1, 3, 5), past, d2jun, *p arroz 4, past, d2jun; rep desde * hasta último 0 (2, 4, 0, 2, 4) p, p arroz 0 (2, 4, 0, 2, 4).

Cont en p arroz hasta que el delantero tenga 12 (14, 15, 16, 19, 22) cm desde el principio, acabar con una vuelta en el revés.

Sisas

Cerrar 4 p al principio de las siguientes 2 vueltas. **43 (47, 51, 55, 59, 63) p.**

Continuar hasta medidas espalda de 21 (24, 26, 28, 32, 36) cm desde el principio, acabando con una vuelta en el revés.

Hombros

Cerrar 10 (11, 13, 14, 16, 17) p al principio de las siguientes 2 vueltas.

Cerrar rest 23 (25, 25, 27, 27, 29) p.

delantero izquierdo

Con agujas de 3¹/₄ mm, montar 28 (30, 32, 34, 36, 38) p.

D 5 vueltas.

Cambiar a agujas de 4 mm.

Vuelta 1 (del derecho) *R1, d1; rep desde * hasta últimos 6 p, r1, d5.

Vuelta 2 D5, r1, *d1, r1; rep desde * hasta el final.

Estas 2 vueltas enlazan el p de arroz con el p bobo en los bordes.

Trabajar 2 vueltas más.

Vuelta ojete P arroz p 1 (3, 5, 1, 3, 5), past, d2jun, *p arroz 4, past, d2jun; rep desde * hasta últimos 7 p, d1, r1, d5.

Cont en p arroz con p bobo en el borde hasta que el delantero tenga 12 (14, 15, 16, 19, 22) cm desde el principio, acabar con una vuelta en el revés.

Sisa

Cerrar 4 p al principio de la sig vuelta. **24 (26, 28, 30, 32, 34) p.**

Cont así hasta que el delantero tenga 17 (20, 21, 23, 26, 30) cm desde el principio, acabar con una vuelta en el revés.

Cuello

Vuelta sig Patrón hasta últimos 7 (7, 8, 8, 9, 9) p, dejar estos p en espera para el cuello.

Dis 1 p en el borde del cuello en cada vuelta hasta 10 (11, 13, 14, 16, 17) p rest.

Continuar hasta que el delantero mida igual que la espalda, acabar en el borde de la sisa.

Hombro

Cerrar.

Marcar posición para 5 (6, 6, 6, 7, 7) botones, el primero en la vuelta ojete, el último 1 cm por debajo del borde del cuello, con los rest 3 (4, 4, 4, 5, 5) separados por igual.

delantero derecho

Con agujas de 3¹/₄ mm, montar 28 (30, 32, 34, 36, 38) p.
D 5 vueltas.
Cambiar a agujas de 4 mm.
Vuelta 1 (del derecho) D5, r1, *d1, r1; rep desde * hasta el final.
Vuelta 2 *R1, d1; rep desde * hasta últimos 6 p, r1, d5.
Estas 2 vueltas enlazan el p de arroz con el p bobo en los bordes.
Trabajar 2 vueltas más.
Vuelta ojete y ojales (del derecho) D1, d2jun, hsa, d2, r1, d1, hsa, ppde, *p arroz p 4, hsa, ppde; rep desde * hasta últimos 1 (3, 5, 1, 3, 5) p, p arroz 1 (3, 5, 1, 3, 5) p.
Cont en p arroz con p bobo en los bordes, trabajar ojales sobre las marcas del delantero izquierdo hasta que el delantero mida 12 (14, 15, 16, 19, 22) cm desde el principio, acabar con una vuelta en el derecho.

Sisa
Cerrar 4 p al principio de la sig vuelta. **24 (26, 28, 30, 32, 34) p.**
Cont así hasta que el delantero tenga 17 (20, 21, 23, 26, 30) cm desde el principio, acabar con una vuelta en el revés.

Cuello
Vuelta sig Patrón 7 (7, 8, 8, 9, 9) p, dejar estos p en espera para el cuello, patrón hasta el final.
Dis 1 p en el borde del cuello en cada vuelta hasta 10 (11, 13, 14, 16, 17) p rest.
Continuar hasta que el delantero mida igual que la espalda, acabar en el borde de la sisa.

Hombro
Cerrar.

mangas

Con agujas de 3¹/₄ mm, montar 29 (31, 33, 35, 37, 39) p.
D 5 vueltas.
Cambiar a agujas de 4 mm.
Vuelta p arroz (del derecho) R1, *d1, r1; rep desde * hasta el final.
Esta vuelta forma el p arroz y se repite.
Trabajar 3 vueltas más.

Sólo tamaños 1, 3, 4 y 6
Vuelta ojete P arroz 1 (–, 3, 1, –, 3), past, r2jun, *p arroz 4, past, r2jun; rep desde * hasta últimos 2 (–, 4, 2, –, 4) p, p arroz 2 (–, 4, 2, –, 4).

Sólo tamaños 2 y 5
Vuelta ojete P arroz – (2, –, –, 2, –), hsa, ppde, *p arroz 4, hsa, ppde; rep desde *hasta últimos – (3, –, –, 3, –) p, p arroz – (3, –, –, 3, –).

Todos los tamaños
Cont en p arroz y aum 1 p en los extremos de la sig y en todas las sig 6 (6, 6, 6, 6, 8) vueltas hasta 37 (41, 45, 49, 53, 55) p, haciendo todos los p aum en p arroz.
Cont así hasta que la manga tenga 13 (15, 17, 19, 22, 24) cm desde el principio, acabar con una vuelta en el revés.
Marcar los extremos de la última vuelta con un hilo de color.
Trabajar 6 vueltas.
Cerrar.

cuello

Coser la costura de los hombros.

Por el derecho y con agujas de 3¹/₄ mm, desl 7 (7, 8, 8, 9, 9) p desde delantero derecho del cuello a una aguja en espera,

recoger y d13 (13, 15, 15, 17, 17) p subir delantero derecho cuello, d29 (31, 31, 33, 33, 35) p desde borde posterior del cuello, recoger y d13 (13, 15, 15, 17, 17) p bajar delantero izquierdo cuello, p arroz 2 (2, 3, 3, 4, 4) p, luego d5 desde delantero izquierdo en espera. 69 (71, 77, 79, 85, 87) p.

Cont en p arroz con 5 p en p bobo para los bordes.

2 vueltas sig Patrón hasta últimos 20 p, girar.

2 vueltas sig Patrón hasta últimos 16 p, girar.

2 vueltas sig Patrón hasta últimos 12 p, girar.

2 vueltas sig Patrón hasta últimos 8 p, girar.

Vuelta sig (del revés) Patrón hasta el final.

Cerrar 3 p al principio de las siguientes 2 vueltas. **63 (65, 71, 73, 79, 81) p.**

Cont en p arroz con 2 p en p bobo para los bordes.

Trabajar para 4 (4, 4, 5, 5, 5) cm, acabar con una vuelta en el revés del cuello.

Vuelta ojete (del derecho del cuello) D2, p arroz 2, hsa, d2jun, patrón hasta últimos 6 p, d2jun, hsa, p arroz 2, d2.

Trabajar 2 vueltas.

D 3 vueltas.

Cerrar.

confección

Con color a contraste trabajar p ojales alrededor de cada ojal y de cada ojete. Coser las mangas a las sisas con remates en las marcas de color cosidas a los puntos bajo el brazo. Unir y coser las mangas. Coser los botones.

jerseycon trenzas

medidas

Para edades de 3–6 (6–9, 9–12, 12-18, 18-24) meses.

medidas reales

Pecho 50 (57, 61, 68, 73) cm.

Largo de hombro 26 (28, 30, 33, 36) cm.

Largo de manga 16 (18, 20, 22, 24) cm.

materiales

4 (4, 5, 5, 6) ovillos de 50 g de Debbie Bliss Baby Cashmerino en azul pálido (CP) y un ovillo de 50 g en crudo (CC).

Agujas de 3 mm y $3^{1}/_{4}$ mm.

Aguja de trenza auxiliar.

muestra

25 p y 34 vueltas miden 10 x 10 cm en punto derecho con agujas de $3^{1}/_{4}$ mm.

abreviaturas

Ver página 27.

espalda

Con agujas de 3 mm y CC, montar 74 (82, 90, 98, 106) p.

Vuelta 1 (derecho) D2, * r2, d2; rep desde * hasta el final.

Vuelta 2 R2, * d2, r2; rep desde * hasta el final.

Cambiar a CP.

Elástico 4 vueltas.

Cambiar a CC.

Elástico 2 vueltas.

Cambiar a CP.

Elástico 1 vuelta.

Aum (del revés) R2, d2 (0, 2, 0, 2), r2 (0, 2, 0, 2), *d2, rec1r, r2, rec1r, d2, r2; rep desde * hasta últimos 4 (0, 4, 0, 4) p, d2 (0, 2, 0, 2), r2 (0, 2, 0, 2). **90 (102, 110, 122, 130) p.**

Cambiar a agujas de 3¹/₄ mm.

Trabajar en patrón como sigue:

Vuelta 1 D2, r2 (0, 2, 0, 2), d2 (0, 2, 0, 2), *r2, d4, r2, d2; rep desde * hasta últimos 4 (0, 4, 0, 4) p, r2 (0, 2, 0, 2), d2 (0, 2, 0, 2).

Vuelta 2 R2, d2 (0, 2, 0, 2), r2 (0, 2, 0, 2), *d2, r4, d2, r2; rep desde * hasta últimos 4 (0, 4, 0, 4) p, d2 (0, 2, 0, 2), r2 (0, 2, 0, 2).

Vuelta 3 D2, r2 (0, 2, 0, 2), d2 (0, 2, 0, 2), *r2, a4a, r2, d2; rep desde * hasta últimos 4 (0, 4, 0, 4) p, r2 (0, 2, 0, 2), d2 (0, 2, 0, 2).

Vuelta 4 Como vuelta 2.

Vuelta 5 D2, r2 (0, 2, 0, 2), d2 (0, 2, 0, 2), *r2, d4, r2, d2; rep desde * hasta últimos 4 (0, 4, 0, 4) p, r2 (0, 2, 0, 2), d2 (0, 2, 0, 2).

Vuelta 6 Como vuelta 2.

Estas 6 vueltas forman la muestra.

Cont según patrón hasta que la espalda tenga 15 (16, 17, 19, 21) cm desde el principio, acabar con una vuelta en el revés.

Sisas

Cerrar 3 p al principio de las siguientes 2 vueltas. **84 (96, 104, 116, 124) p.****

Cont según patrón hasta que la espalda tenga 26 (28, 30, 33, 36) cm desde el principio, acabar con una vuelta en el revés.

Hombros

Cerrar 13 (15, 16, 18, 19) p al principio de las siguientes 4 vueltas.

Dejar rest 32 (36, 40, 44, 48) p a la espera.

delantero

Trabajar como hasta ahora por detrás hasta **.

Cuello delantero

Vuelta sig (por el derecho) Patrón 39 (45, 49, 55, 59) p, d2jun, girar y trabajar en estos puntos para el primer lado del cuello delantero

Vuelta sig Patrón hasta el final.

Vuelta sig Patrón hasta últimos 2 p, d2jun.

Repetir las últimas 2 vueltas hasta 26 (30, 32, 36, 38) p rest.

Continuar hasta que el delantero tenga las mismas medidas que la espalda, acabar en el borde de la sisa.

Hombro

Cerrar 13 (15, 16, 18, 19) p al principio de la siguiente vuelta.

Trabajar 1 vuelta.

Cerrar rest 13 (15, 16, 18, 19) p.

Por el derecho, desl 2 p centrales en un imperdible, unir a rest p, patrón hasta el final.

Vuelta sig Patrón hasta el final.

Vuelta sig Ppde, patrón hasta el final.

Repetir las últimas 2 vueltas hasta 26 (30, 32, 36, 38) p rest.

Continuar hasta que el delantero tenga las mismas medidas que la espalda, acabar en el borde de la sisa.

Hombro

Cerrar 13 (15, 16, 18, 19) p al principio de la siguiente vuelta.

Trabajar 1 vuelta.

Cerrar rest 13 (15, 16, 18, 19) p.

mangas

Con agujas de 3 mm y CC, montar 34 (42, 42, 50, 50) p.

Vuelta 1 (derecho) D2, * r2, d2; rep desde * hasta el final.

Vuelta 2 R2, * d2, r2; rep desde * hasta el final.

Cambiar a CP.

Elástico 4 vueltas.

Cambiar a CC.

Elástico 2 vueltas.

Cambiar a CP.

Canesú 1 vuelta.

Aum (por el revés) R2, * d2, rec1r, d2, rec1r, d2, r2; rep desde * hasta el final. **42 (52, 52, 62, 62) p.**

Cambiar a agujas de 3 1/4 mm.

Trabajar en patrón como sigue:

Vuelta 1 (del derecho) D2, * r2, d4, r2, d2; rep desde * hasta el final.

Vuelta 2 R2, * d2, r4. d2, r2; rep desde * hasta el final.

Vuelta 3 D2, * r2, a4a, r2, d2; rep desde * hasta el final.
Vuelta 4 Como vuelta 2.
Vuelta 5 D2, * r2, d4, r2, d2; rep desde * hasta el final.
Vuelta 6 Como vuelta 2.
Estas 6 vueltas forman la muestra.
Aum y trabajar en patrón 1 p en cada extremo de las sig (3, sig, 5, sig) vueltas y las sig
3 (4, 3, 3, 3) vueltas hasta 62 (72, 82, 92, 102) p.
Cont así hasta que la manga tenga 16 (18, 20, 22, 24) cm desde el principio, acabar con una vuelta en el revés.
Marcar los extremos de la última vuelta con un hilo de color.
Trabajar 4 vueltas.
Cerrar todos los puntos.

tira del cuello

Unir costuras hombro derecho.
Por el derecho, con agujas de 3 mm y CP, recoger y d40 (43, 45, 47, 49) p bajar por la izquierda del cuello, d2 desde el imperdible, recoger y d38 (41, 43, 45, 47) p subir por la derecha del cuello, d0 (0, 0, 0, 0, 1), r0 (0, 0, 1, 2), d0 (0, 1, 2, 2), r0 (1, 2, 2, 2), d1 (0, 0, 0, 0), [d2jun] 1 (2, 2, 2, 2) veces, r2, d2, r2, [d2jun] dos veces, r2, d2, r2, [d2jun] dos veces, r2, d2, r2, [d2jun] 1 (2, 2, 2, 2) veces, d1 (0, 0, 0, 0), r0 (1, 2, 2, 2), d0 (0, 1, 2, 2), r0 (0, 0, 1, 2), d0 (0, 0, 0, 1) p detrás del cuello. **106 (114, 122, 130, 138) p.**
Cambiar a CC.
Sólo en tamaño más pequeño
Vuelta 1 R2, * d2, r2; rep desde * hasta el final.
Sólo tamaños 2 y 4
Vuelta 1 D1, * r2, d1; rep desde * hasta último p, r1.
Sólo tamaños 3 y 5
Vuelta 1 R1, *d2, r2; rep desde * hasta último p, d1.
Todos los tamaños
Esta vuelta forma el elástico.
Vuelta 2 Elástico 39 (42, 44, 46, 48), d2jun, ppde, canalé hasta el final.
Cambiar a CP.
Vuelta 3 Elástico hasta el final.
Vuelta 4 Elástico 38 (41, 43, 45, 47), d2jun, ppde, canalé hasta el final.
Cambiar a CC.
Vuelta 5 Elástico hasta el final.
Vuelta 6 Elástico 37 (40, 42, 44, 46), d2jun, ppde, canalé hasta el final.
Vuelta 7 Elástico hasta el final.
Vuelta 8 Elástico 36 (39, 41, 43, 45), d2jun, ppde, canalé hasta el final.
Cambiar a CP.
Vuelta 9 Elástico hasta el final.
Cerrar en elástico, mientras dis como antes.

confección

Unir costuras hombro izquierdo y tira del cuello. Coser las mangas a las sisas con remates en las marcas cosidas a los puntos cerrados bajo el brazo. Unir y coser las mangas.

chaquetacon bordes tubulares

medidas
Para edades de 3–6 (6–9, 9–12, 12-18, 18-24) meses.

medidas reales
Pecho 48 (54, 60, 66, 72) cm.
Largo de hombro 33 (35, 37, 38, 41) cm.
Largo de manga 14 (16, 18, 20, 22) cm.

materiales
6 (7, 8, 9, 10) ovillos de 50 g de Debbie Bliss Cotton Double Knitting en color.
chocolate (CP) y un ovillo de 50 g en color cáscara de huevo (CC).
Agujas de 4 mm.
3 botones.

muestra
20 p y 39 vueltas miden 10 x 10 cm en punto bobo con agujas de 4 mm.

abreviaturas
Ver página 27.

espalda

Con agujas de 4 mm y CC, montar 66 (72, 78, 84, 90) p.
Empezar con una vuelta d, trabajar 3 vueltas en p media.
Cambiar a CP y una vuelta r.
D 6 (6, 8, 8, 8) vueltas.
Vuelta sig (del derecho) D6, ppde, d hasta últimos 8 p, d2jun, d6.
D 1 vuelta.
Repetir las últimas 8 (10, 10, 10, 10) vueltas 7 veces más. **50 (56, 62, 68, 74) p.**
D 8 (12, 0, 4, 8) vueltas.

Sisas

Cerrar 3 (3, 4, 4, 5) p al principio de las siguientes 2 vueltas. **44 (50, 54, 60, 64) p.**
D 2 vueltas.
Vuelta sig (del derecho) D2, ppde, d hasta últimos 4 p, d2jun, d2.
D 3 vueltas.
Repetir las últimas 4 vueltas 9 (10, 11, 12, 13) veces más. **24 (28, 30, 34, 36) p.**
Dejar estos puntos en espera.

delantero izquierdo

Con agujas de 4 mm y CC, montar 35 (38, 41, 44, 47) p.
Empezar con una vuelta d, trabajar 3 vueltas en p media.
Cambiar a CP y una vuelta r.
D 6 (6, 8, 8, 8) vueltas.
Vuelta sig (derecho) D6, ppde, d hasta el final.
D 1 vuelta.
Repetir las últimas 8 (10, 10, 10, 10) vueltas 7 veces más. **27 (30, 33, 36, 39) p.**
D 8 (12, 0, 4, 8) vueltas.

Sisa

Cerrar 3 (3, 4, 4, 5) p al principio de la siguiente vuelta. **24 (27, 29, 32, 34) p.**
D 3 vueltas.
Vuelta sig (derecho) D2, ppde, d hasta el final.
D 3 vueltas.
Repetir las últimas 4 vueltas 3 (3, 3, 3, 4) veces más. **20 (23, 25, 28, 29) p.**
Vuelta sig (derecho) D2, ppde, d hasta el final.
D 0 (0, 2, 2, 0) vueltas.

Cuello

Vuelta sig (del revés) Cerrar 4 p, d hasta el final.
Sólo tamaños 1, 2 y 5
Vuelta sig D hasta últimos 4 p, d2jun, d2.
D 1 vuelta.
Todos los tamaños
Vuelta sig D2, ppde, d hasta últimos 4 p, d2jun, d2.
D 1 vuelta.
Vuelta sig D hasta últimos 4 p, d2jun, d2.
D 1 vuelta.
Repetir las últimas 4 vueltas 1 (2, 3, 4, 4) veces más. **8 p.**
Vuelta sig D2, ppde, d2jun, d2. **6 p.**

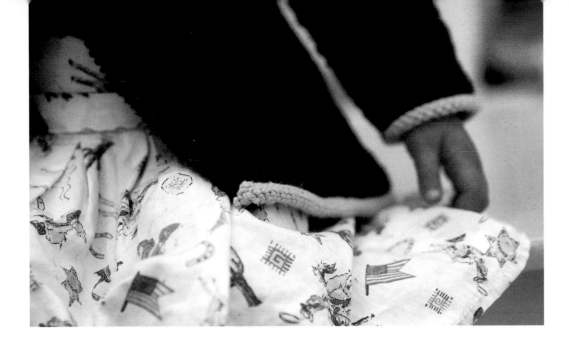

D 3 vueltas.
Vuelta sig D1, ppde, d2jun, d1. 4 p.
D 3 vueltas.
Vuelta sig Ppde, d2jun. 2 p.
D 3 vueltas.
Dejar estos puntos en un imperdible.

delantero derecho

Con agujas de 4 mm y CC, montar 35 (38, 41, 44, 47) p.
Empezar con una vuelta d, trabajar 3 vueltas en p media.
Cambiar a CP y una vuelta r.
D 6 (6, 8, 8, 8) vueltas.
Vuelta sig (derecho) D hasta últimos 8 p, d2jun, d6.
D 1 vuelta.
Rep las últimos 8 (8, 10, 10, 10) vueltas, 6 (6, 5, 5, 5) veces más. 28 (31, 35, 38, 41) p.
D 2 (2, 4, 4, 6) vueltas.
Vuelta 1 ojales (del derecho) D2, hsa, d2jun, d hasta el final.
D 3 (3, 3, 3, 1) vueltas.
Vuelta sig (del derecho) D hasta últimos 8 p, d2jun, d6. 27 (30, 34, 37, 40) p.
Sólo tamaños 3, 4 y 5
D 9 vueltas.
Vuelta sig (del derecho) D hasta últimos 8 p, d2jun, d6.
Todos los tamaños
D 10 (13, 2, 5, 9) vueltas.
Sólo tamaños 2, 4 y 5
Vuelta 2 ojales (del derecho) D2, hsa, d2jun, d hasta el final.

Todos los tamaños

Sisa

Vuelta sig (del derecho) Cerrar 3 (3, 4, 4, 5) p, d hasta el final. **24 (27, 29, 32, 34) p.**

Sólo tamaños 1 y 3

Vuelta 2 ojales (del derecho) D2, hsa, d2jun, d hasta el final.

Todos los tamaños

D 1 (2, 1, 2, 2) vueltas.

Vuelta sig (del derecho) D hasta últimos 4 p, d2jun, d2.

D 3 vueltas.

Repetir las últimas 4 vueltas 2 (2, 3, 3, 3) veces más. **21 (24, 25, 28, 30) p.**

Sólo tamaños 1, 2 y 5

Vuelta sig (del derecho) D hasta últimos 4 p, d2jun, d2.

D 1 vuelta.

Vuelta 3 ojales (del derecho) D2, hsa, d2jun, d hasta el final.

D 1 vuelta.

Vuelta sig D hasta últimos 4 p, d2jun, d2.

D 1 vuelta.

Cuello

Vuelta sig (del derecho) Cerrar 4 p, con 1 p en la aguja, d1, ppde, d hasta el final.

D 1 vuelta.

Vuelta sig D2, ppde, d hasta últimos 4 p, d2jun, d2.

D 1 vuelta.

Vuelta sig D2, ppde, d hasta el final.

D 1 vuelta.

Sólo tamaños 3 y 4

Vuelta 3 ojales (del derecho) D2, hsa, d2jun, d hasta últimos 4 p, d2jun, d2.

D 3 vueltas.

Cuello

Vuelta sig (del derecho) Cerrar 4 p, con 1 p en la aguja d1, ppde, d hasta últimos 4 p, d2jun, d2.

D 1 vuelta.

Vuelta sig (derecho) D2, ppde, d hasta el final.

D 1 vuelta.

Vuelta sig D2, ppde, d hasta últimos 4 p, d2jun, d2.

D 1 vuelta.

Vuelta sig (derecho) D2, ppde, d hasta el final.

D 1 vuelta.

Todos los tamaños

Repetir las últimas 4 vueltas 1 (2, 2, 3, 4) veces más. 8 p.

Vuelta sig D2, ppde, d2jun, d2. 6 p.

D 3 vueltas.

Vuelta sig D1, ppde, d2jun, d1. 4 p.

D 3 vueltas.

Vuelta sig Ppde, d2jun. 2 p.

D 3 vueltas.

Dejar estos puntos en un imperdible.

mangas

Con agujas de 4 mm y CC, montar 28 (30, 32, 32, 34) p.
Empezar con una vuelta d, trabajar 3 vueltas en p media.
Cambiar a CP y una vuelta r.
Seguir en p bobo y aum 1 p en cada extremo de la vuelta 7 (11, 11, 11, 11) y de las sig 8 vueltas hasta 40 (42, 46, 48, 52) p.
Cont así hasta que la manga tenga 13 (15, 17, 19, 21) cm desde el principio del p bobo, acabar con una vuelta en el revés.
Mangas raglán
Cerrar 3 (3, 4, 4, 5) p al principio de las siguientes 2 vueltas. **34 (36, 38, 40, 42) p.**
D 2 vueltas.
Vuelta sig D2, ppde, d hasta últimos 4 p, d2jun, d2.
D 3 vueltas.
Repetir las últimas 4 vueltas 3 (4, 5, 6, 7) veces más. **26 p.**
Vuelta sig D2, ppde, d7, ppde, d2jun, d7, d2jun, d2.
D 3 vueltas.
Vuelta sig D2, ppde, d hasta últimos 4 p, d2jun, d2. **20 p.**
D 3 vueltas.
Vuelta sig D2, ppde, d4, ppde, d2jun, d4, d2jun, d2.
D 3 vueltas.
Vuelta sig D2, ppde, d hasta últimos 4 p, d2jun, d2. **14 p.**
D 3 vueltas.
Vuelta sig D2, ppde, d1, ppde, d2jun, d1, d2jun, d2.
D 3 vueltas.
Vuelta sig D2, ppde, d hasta últimos 4 p, d2jun, d2. **8 p.**
D 3 vueltas.
Dejar rest 8 p en espera.

cuello

Unir y coser raglán.
Por el derecho y con agujas de 4 mm y CP, empezar 2 p en el delantero derecho, recoger y d13 (15, 15, 17, 19) p subir cuello delantero, d2jun desde imperdible, trabajar [d2jun, d4, d2jun] en 8 p de manga derecha, trabajar [d2jun, d5 (6, 7, 8, 8), d2jun, d6 (8, 8, 10, 12), d2jun, d5 (6, 7, 8, 8), d2jun] en 24 (28, 30, 34, 36) p en espera tras el cuello, trabajar [d2jun, d4, d2jun] en p de manga izquierda, d2jun desde imperdible, luego recoger y d14 (16, 16, 18, 20) p bajar delantero izquierdo cuello, acabar 2 p en delantero derecho. **61 (69, 71, 79, 85) p.**
Vuelta 1 (del revés) D todos los puntos.
Cambiar a CC.
Empezar con una vuelta d, trabajar 7 vueltas en p media.
Cerrar.

confección

Unir costuras lado y mangas, volver costuras en bordes a contraste, en tubular.
Coser los botones.

distribuidoresdelana

ESPAÑA

Coats Fabra S.A.
C/Sant Adrià 20
08030 (Barcelona)
Tel.: 93 290 85 00
Fax: 93 290 85 08
www.coatsfabra.com

Katia
Avda. Catalunya s/n
08296 Castellbell i El Vilar
(Barcelona)
Tel.: 93 834 02 01
Fax: 93 834 03 12
E-mail: info@katia.es
www.katia.es

Gütermann S.A.
C/Diputación 239-247
08007 Barcelona
Tel.: 93 496 11 55
Fax: 93 487 52 88
www.guetermann.com

Lanas Stop (Infitex)
Avda. de la Rioja s/n
26140 Lardero
(La Rioja)
Tel.: 941 448 600
Fax: 941 448 616
E-mail: infitex@infitex.es
www.infitex.es

glosariodepatrones

jerseys a rayas pág. 44–47

edad en meses	3–6	6–9	9–12
pecho acabado (cm)	50	53	59
largo de espalda (cm)	24	26	28
largo de mangas (cm)	16	18	20

bolero bebé pág. 48–53

edad en meses	3–6	6–9	9–12	12–18	18–24
pecho acabado (cm)	51	55	60	64	69
largo de espalda (cm)	24	27	29	31	33
largo de mangas (cm)	13	15	17	20	22

manta bebé pág. 54–57

largo (cm)	60
ancho (cm)	54

chaqueta cruzada pág. 58–61

edad en meses	3–6	6–9	9–12	12–18	18–24
pecho acabado (cm)	50	53	60	63	70
largo de espalda (cm)	24	26	29	32	36
largo de mangas (cm)	14	16	18	20	22

chaqueta matinée pág. 62–65

edad en meses	3–6	6–9	9–12
pecho acabado (cm)	50	53	56
largo de espalda (cm)	26	28	30
largo de mangas (cm)	15	16	17

osito pág. 66–69

estatura (cm)	30

patucos pág. 70–73

edad en meses	0–3	3–6

chaqueta de trenzas pág. 74–79

edad en meses	9–12	12–18	18–24
pecho acabado (cm)	65	69	75
largo de espalda (cm)	30	34	38
largo de mangas (cm)	16	18	23

abrigo de lana pág. 80–85

edad en meses	3–6	6–12	12–18	24–36
pecho acabado (cm)	60	64	68	71
largo de espalda (cm)	36	39	43	50
largo de mangas (cm)	16	18	20	23

gorro pompón pág. 86–87

edad en meses	3–6	9–12	18–24

chaqueta con borde de encaje pág. 88–91

edad en meses	3–6	6–9	9–12	12–18	18–24
pecho acabado (cm)	50	54	59	62	68
largo de espalda (cm)	22	24	26	29	32
largo de mangas (cm)	15	17	19	21	23

manta con trenzas pág. 92–95

largo (cm)	80
ancho (cm)	50

142

chaqueta Fair Isle pág. 96–101

edad en meses	3–6	6–9	9–12	12–18	18–24
pecho acabado (cm)	47	52	56	61	66
largo de espalda (cm)	22	24	26	28	32
largo de mangas (cm)	13	15	17	19	22

chaqueta con capucha pág. 102–107

edad en meses	3–6	6–9	9–12	12–18	18–24
pecho acabado (cm)	50	54	59	63	70
largo de espalda (cm)	27	28	32	35	39
largo de mangas (cm)	14	16	18	21	23

jersey sin mangas pág. 108–113

edad en meses	3–6	6–9	9–12	12–18	18–24
pecho acabado (cm)	45	48	52	56	60
largo de espalda (cm)	22	24	26	30	32

gorrito de elfo pág. 114–115

edad en meses	0–3	3–6	6–9	9–12	12–24

calcetines bicolor pág. 116–119

edad en meses	3–6	6–12	12–18

chaqueta con margaritas pág. 120–125

edad en meses	0–3	3–6	6–9	9–12	12–18	18–24
pecho acabado (cm)	49	53	57	61	65	69
largo de espalda (cm)	21	24	26	28	32	36
largo de mangas (cm)	13	15	17	19	22	24

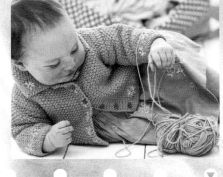

143

jersey con trenzas pág. 126–131

edad en meses	3–6	6–9	9–12	12–18	18–24
pecho acabado (cm)	50	57	61	68	73
largo de espalda (cm)	26	28	30	33	36
largo de mangas (cm)	16	18	20	22	24

chaqueta bordes tubulares pág. 132–138

edad en meses	3–6	6–9	9–12	12–18	18–24
pecho acabado (cm)	48	54	60	66	72
largo de espalda (cm)	33	35	37	38	41
largo de mangas (cm)	14	16	18	20	22

Directora editorial Jane O'Shea
Directora creativa Mary Evans
Proyecto Lisa Pendreigh
Asistente Andrew Bayliss
Fotógrafo Tim Evan-Cook
Estilista Julie Mansfield
Producción Vincent Smith, Ruth Deary

Primera edición en español: verano 2006
Traducción: Vera Santos y Teo Gómez

144 agradecimientos

Este libro no hubiera sido posible sin la contribución de las siguientes personas:

Jane O'Shea, Lisa Pendreigh y **Mary Evans** de la Quadrille Publishing, que me ayudaron a disfrutar durante el proceso de creación del libro.

Julie Mansfield, la estilista, por su contribución realmente inspiradora.

Tim Evan-Cook, por sus maravillosas fotografías y su habilidad para retratar a los no siempre tranquilos y colaboradores bebés; y sus, cómo no, eficaces ayudantes Willem y Damien.

Sally Kvalheim, la amable canguro.

Los maravillosos bebés, por supuesto: **Abigail, Aidan, Elina, Florence, Genevieve, Ida, Jas, Jessica, Joshua Bentley, Joshua Roberts, Litzi, Louis, Louise, Mia** y **Tyler.**

Rosy Tucker, por su contribución al diseño, la revisión de los patrones y su inestimable ayuda en todos mis proyectos.

Penny Hill, por su gran trabajo en la compilación de patrones.

Marilyn Wilson, por la segunda revisión de patrones.

Los fantásticos tejedores: **Cynthia Brent, Pat Church, Jacqui Dunt, Shirley Kennet, Maisie Lawrence** y **Frances Wallace.**

Mi fantástica agente, **Heather Jeeves.**

Los distribuidores, agentes y vendedores que me han ayudado en mis libros y, por supuesto, todos aquellos tejedores cuya increíble ayuda ha hecho posible tantos proyectos a lo largo de los años.